W9-CZL-977

Les grands monuments de **Paris**

La rosace nord de Notre-Dame

Gustave Eiffel et son équipe

La tour Montparnasse

Un candélabre du métro

Un immeuble haussmannien

Les grands monuments de Paris

par

Jean-Michel Billioud

L'Opéra Garnier

LES YEUX DE LA DÉCOUVERTE
GALLIMARD JEUNESSE

Le pont Alexandre III

Encrier de Victor Hugo

COMMENT ACCÉDER AU SITE INTERNET DU LIVRE

1 - SE CONNECTER
Tapez l'adresse du site dans votre navigateur puis laissez-vous guider jusqu'au livre qui vous intéresse :
http://www.decouvertes-gallimard-jeunesse.fr/9+

2 - CHOISIR UN MOT CLÉ DANS LE LIVRE ET LE SAISIR SUR LE SITE
Vous ne pouvez utiliser que les mots clés du livre (inscrits dans les puces grises) pour faire une recherche.

3 - CLIQUER SUR LE LIEN CHOISI
Pour chaque mot clé du livre, une sélection de liens Internet vous est proposée par notre site.

4 - TÉLÉCHARGER DES IMAGES
Une galerie de photos est accessible sur notre site pour ce livre. Vous pouvez y télécharger des images libres de droits pour un usage personnel et non commercial.

IMPORTANT :
- Demandez toujours la permission à un adulte avant de vous connecter au réseau Internet.
- Ne donnez jamais d'informations sur vous.
- Ne donnez jamais rendez-vous à quelqu'un que vous avez rencontré sur Internet.
- Si un site vous demande de vous inscrire avec votre nom et votre adresse e-mail, demandez d'abord la permission à un adulte.
- Ne répondez jamais aux messages d'un inconnu, parlez-en à un adulte.

NOTE AUX PARENTS : Gallimard Jeunesse vérifie et met à jour régulièrement les liens sélectionnés, leur contenu peut cependant changer. Gallimard Jeunesse ne peut être tenu pour responsable que du contenu de son propre site. Nous recommandons que les enfants utilisent Internet en présence d'un adulte, ne fréquentent pas les *chats* et utilisent un ordinateur équipé d'un filtre pour éviter les sites non recommandables.

La danse de Carpeaux (Opéra Garnier)

La colonne de Juillet, place de la Bastille

La tour Eiffel

Collection créée par Pierre Marchand et Peter Kindersley

Responsable éditorial : Thomas Dartige
Édition : Éric Pierrat
Directrice artistique : Élisabeth Cohat
Maquette : Valentina Leporé et Didier Gatepaille
Maquette de couverture : Valentina Leporé
Fabrication : Christophe de Mullenheim
Iconographie : Anaïck Bourhis
Correction : Sylvette Tollard et Isabelle Haffen
Index : Sylvette Tollard
Photogravure : IGS
Site Internet associé : Bénédicte Nambotin, Françoise Favez et Éric Duport.

ISBN 978-2-07-063709-6
La conception de cette collection est le fruit d'une collaboration entre les Editions Gallimard et Dorling Kindersley

Loi n°49-956 du 16 juillet 1949 sur les publications destinées à la jeunesse
Dépôt légal : mai 2011
N° d'édition : 179795

Imprimé en Espagne par Egedsa

SOMMAIRE

L'île Saint-Louis

Signification des pictogrammes utilisés dans le livre :
signale un personnage qui a marqué le monument ou le quartier,
[XIX] indique le siècle de construction du bâtiment,
marque les informations insolites ou les détails à voir.

Un lieu unique

D'un quartier à l'autre, des arènes de Lutèce au centre Beaubourg, les plus beaux monuments de Paris permettent de remonter le temps dans un voyage fascinant. L'Antiquité, le Moyen Âge, les époques moderne ou contemporaine, chaque période a laissé des témoignages architecturaux, uniques au monde, des vingt siècles passés.

Le Paris romain

Construits à la fin du IIe siècle par les Romains, les thermes ont été réaménagés au XVe siècle par les abbés de Cluny. La salle froide, le *frigidarium*, est la mieux préservée de ce rare vestige antique de la capitale. Au sous-sol, les galeries voûtées étaient réservées au personnel chargé de l'entretien des bains.

L'immeuble haussmannien

Pendant les 17 ans où il est préfet de Paris, Haussmann ouvre 90 km de voies nouvelles, bordées d'immeubles à la façade rectiligne et blanche et au toit en ardoises. Ce type de construction perdurera jusqu'au début du XXe siècle et constitue un monument de Paris qui fait encore l'identité de la ville.

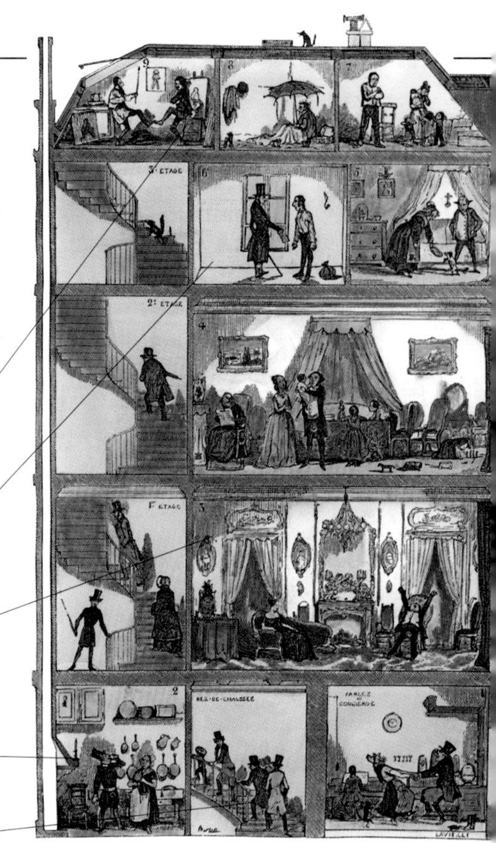

À la pointe de l'architecture

Largement modelé au fil des siècles par les souverains ou à l'occasion des expositions universelles, Paris n'est pas une ville musée. La Cité de la mode et du design, la fondation Cartier ou le musée du quai Branly (ci-contre) témoignent de son incessante vitalité architecturale.

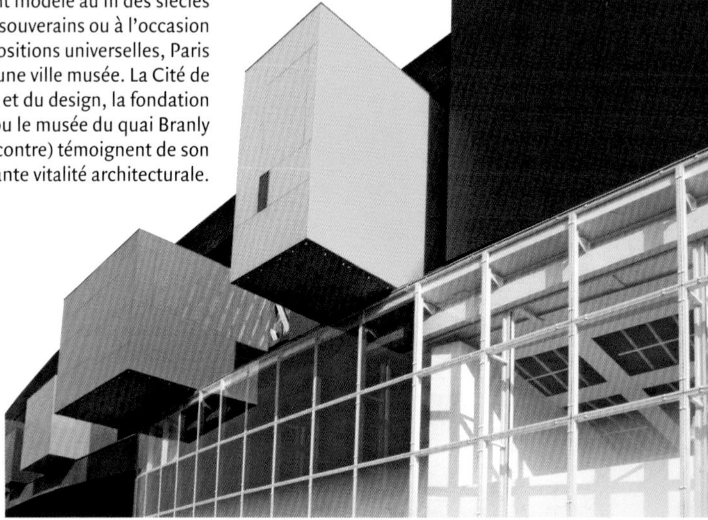

PLAN DE PARIS EN 1615

Réalisé comme une vue à vol d'oiseau, le plan de Matthäus Merian est l'un des plus célèbres exemples de la cartographie de Paris au Grand Siècle. Il révèle certains monuments ou lieux aujourd'hui disparus comme le palais de la Cité, l'ancien Hôtel de ville ou le « jardin de la reine Marguerite » qui sera loti pour donner naissance au faubourg Saint-Germain.

La tour du Temple (XIIIe siècle) fut rasée en 1808.

Le donjon de Vincennes, construit par Charles V au XIVe siècle

La Place royale (des Vosges aujourd'hui) qui vient d'être réalisée et la forteresse de la Bastille.

Sur la rive droite de la Seine, le Louvre et sa grande galerie qui rejoint depuis peu le palais des Tuileries

L'île aux Vaches et l'île Notre-Dame n'ont pas encore été réunies pour former l'île Saint Louis.

Sur l'île de la Cité, du premier plan jusqu'à l'arrière-plan : le pont Neuf, la place Dauphine, nouvellement aménagée, le palais des Rois, aujourd'hui disparu, la Sainte-Chapelle et la cathédrale Notre-Dame

L'abbaye Saint-Germain des-Prés

Jardin de la reine Marguerite

La tour Eiffel

Phare de la capitale française, la tour de Gustave Eiffel a été élevée sur le Champ-de-Mars pour l'Exposition universelle de 1889 dont elle est la vedette. Symbole du progrès industriel, ce monument destiné à être éphémère a déjà été visité par près de deux cent cinquante millions de personnes. C'est le record du monde pour un monument payant.

Une prouesse technique [XIX]

Après les travaux de fondations de janvier à juin 1887, la tour s'élève à un rythme régulier. Les pièces sont mesurées, découpées et montées pour plus de la moitié d'entre elles dans l'usine Eiffel de Levallois-Perret. Elles sont ensuite acheminées vers le chantier et assemblées par des rivets posés à chaud par une centaine d'ouvriers sur la charpente elle-même. Le premier étage est achevé le 1er avril 1888 et le deuxième dès le 14 août. La tour Eiffel peut être inaugurée le 31 mars 1889, un mois avant le début de l'Exposition universelle. Gustave Eiffel et les membres du conseil municipal de Paris gravissent les 1 710 marches et plantent un drapeau français au sommet (312 m) !

Gustave Eiffel

Diplômé de l'École centrale, Gustave Eiffel (1832-1923) se destine à la chimie avant de choisir le secteur de la métallurgie qui fera sa fortune. Après avoir réalisé de nombreux ponts et viaducs, il construit la coupole de l'observatoire de Nice puis l'armature de la statue de la *Liberté éclairant le monde*, inaugurée à New York en 1886. Pour l'Exposition universelle de 1889, deux ingénieurs de l'entreprise Eiffel, Émile Nouguier et Maurice Koechlin, imaginent une grande tour métallique. Gustave Eiffel s'y oppose d'abord avant de se laisser convaincre.

La tour s'élève au milieu de palais, halles de verre et quartiers reconstitués qui seront détruits après l'Exposition.

La tour Eiffel est l'édifice le plus haut du monde jusqu'en 1929, année de la construction de l'immeuble Chrysler (319 m) à New York.

Le sais-tu ?

Dès l'Exposition universelle de 1889, les arcs et plates-formes de la tour sont bordés de cordons lumineux illuminés par des becs de gaz. Entre 1925 et 936, André Citroën s'offre 3 faces de la Tour pour une extraordinaire publicité visible à 40 km. L'éclairage doré actuel est composé de 336 projecteurs qui placent dans la lumière le monument tous les soirs, de la tombée de la nuit jusqu'à 1 heure du matin (2 heures du matin en été). Depuis le 31 décembre 1999, la tour scintille les 5 premières minutes de chaque heure grâce à 20 000 ampoules à éclats.

Les étages et le sommet

Chaque année la tour Eiffel accueille près de 7 millions de visiteurs dont 75 % sont étrangers. Les deux premiers étages offrent aux visiteurs des salles d'expositions, des restaurants et d'extraordinaires bases d'observation des sites et monuments de Paris. Situé à 276 m, d'une superficie de 350 m² seulement, le dernier étage abrite le bureau reconstitué de Gustave Eiffel. L'accès se fait obligatoirement par un ascenseur alors qu'autrefois les visiteurs pouvaient emprunter un escalier en colimaçon. Il est aujourd'hui démonté et l'un de ses morceaux est exposé au premier étage. Lorsque la luminosité est bonne, la vue au sommet de la Tour permet d'observer les environs de Paris jusqu'à une cinquantaine de kilomètres.

Une géante technologique

En 1954, la mise en place de l'antenne de télévision au sommet de la tour porte sa hauteur à 324 m. Un peu plus bas, son nouveau phare à deux faisceaux lumineux balaie Paris depuis le 31 décembre 1999. Constitué de 4 projecteurs pilotés par ordinateur, sa portée est de 80 km.

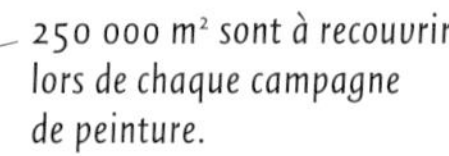

250 000 m² sont à recouvrir lors de chaque campagne de peinture.

De larges galeries circulaires permettent de découvrir les sites et les monuments les plus célèbres de Paris.

Sous l'effet du vent ou du soleil, la tour bouge et sa flèche s'incline parfois jusqu'à 18 cm !

Toilette périodique

Tous les sept ans, la tour est repeinte par une équipe de 25 peintres alpinistes. Pour réaliser ce prodige, ils utilisent 60 tonnes de peinture, mais aussi 50 km de cordes de sécurité et 2 hectares de filets de protection. Si le rythme des campagnes de peinture est resté le même depuis 1889, la couleur a varié. Rouge à l'origine, elle est passée au jaune pour l'Exposition universelle de 1900 puis au bronze, utilisé dans trois tons différents depuis 1968.

À la Concorde

Première place royale largement ouverte, l'harmonieuse place de la Concorde a été successivement le théâtre d'exécutions capitales sous la Révolution et de fêtes somptueuses sous l'Empire. Elle fait partie des chefs-d'œuvre de l'axe historique de Paris, de la cour Carrée du Louvre à la Grande Arche, comme la statue équestre de Louis XIV dans la cour Napoléon du Louvre, l'arc de triomphe du Carrousel, le jardin des Tuileries, l'obélisque de Louxor ou l'Arc de triomphe de l'Étoile.

Concorde

LES CHAMPS-ÉLYSÉES [XVII]
Tracée en 1670 pour prolonger la perspective du jardin des Tuileries, cette allée champêtre connaît un essor considérable sous le second Empire avec la construction d'hôtels particuliers. La plus belle avenue du monde est toujours le cadre des défilés militaires (14 juillet) mais se transforme aussi, à l'occasion, en champs de blé ou de sculptures, en immense lieu d'exposition (les trains en 2003) ou en stade d'athlétisme. Elle accueille chaque année l'arrivée du Tour de France ! Dans sa partie haute, l'avenue est devenue l'artère commerçante la plus prestigieuse de la capitale avec ses cinémas et ses grands magasins.

L'ARC DE TRIOMPHE DE L'ÉTOILE [XIX]
Commandé par l'empereur Napoléon Ier en 1806 pour glorifier la Grande Armée, ce gigantesque monument, haut de 55 m et large de 45 m, a été achevé au bout de 30 ans. Depuis 1920, il abrite la tombe du Soldat inconnu de la Première Guerre mondiale et une flamme qui ne s'éteint jamais. Hommage aux poilus, elle est ravivée chaque soir à 18 h 30.

DE GAULLE EN 1944
Le 26 mars 1944, dans Paris libéré, le général de Gaulle descend à pied les Champs-Elysées avec ses officiers et les chefs de la Résistance après avoir ranimé la flamme sous l'Arc de Triomphe. Il a choisi la célèbre avenue pour symboliser la liberté retrouvée du peuple français car elle était le lieu privilégié des défilés des troupes nazies pendant l'Occupation.

Le palais des Congrès de Paris s'élève depuis les années 1970 Porte Maillot dans le XVIIe arrondissement. L'hôtel Concorde-Lafayette, troisième plus haut bâtiment de Paris, culmine à 137 m.

Arc de Triomphe

Depuis les années 1960, le quartier d'affaires de la Défense s'élève et se développe à cheval sur les communes de Puteaux, Courbevoie et Nanterre. Sa Grande Arche dans l'axe de l'Arc de Triomphe complète la perspective des Champs-Élysées.

Le Grand Palais

L'architecte Gabriel fait édifier, à la demande de Louis XV, deux belles façades. Ce bâtiment, à gauche de la rue Royale, abrita 4 hôtels particuliers. Le plus à gauche est devenu un palace, l'hôtel Crillon.

Achevé en 1772, ce palais était le garde-meuble de la Couronne. Appelé ensuite hôtel de la Marine, il abrite aujourd'hui l'état-major de la marine nationale.

L'orangerie du jardin des Tuileries, construite en 1853, est aménagée en 1920 pour accueillir les Nymphéas du peintre Claude Monnet. Elle est aussi aujourd'hui un musée de peintures.

Le sais-tu ?

C'est le plus vieux monument de Paris ! Recouvert de hiéroglyphes, l'obélisque en granite rose de Louxor a été offert en 1831 à la France par le vice-roi d'Egypte Mehmet Ali. Après un voyage en bateau de deux ans, cette colonne à la gloire du pharaon Ramsès II a été érigée le 25 octobre 1836 devant la famille royale et une foule de 200 000 personnes ! Depuis 1998, la pointe de l'obélisque est recouverte d'un pyramidion en bronze doré. Il remplace l'ornement d'origine qui aurait été dérobé en Egypte au VIe siècle.

La place de la Concorde [XVIII]

Aménagée en 1772 pour servir d'écrin à la statue de Louis XV, la place accueille une vingtaine d'années plus tard la sinistre guillotine qui attire les foules pour les exécutions de Louis XVI et de Marie-Antoinette. Entre 1836 et 1846, l'architecte Jacques-Ignace Hittorff ajoute deux fontaines sur la place et la ceinture de lampadaires et de colonnes.

L'Assemblée nationale [XVIII]

Édifié entre 1722 et 1728 pour la duchesse de Bourbon, le palais qui abrite depuis 1795 les représentants du peuple a été plusieurs fois transformé. En 1806, Napoléon fait bâtir la colonnade Poyet inspirée comme celle de l'église de la Madeleine par l'Antiquité grecque. Sculpté sous l'Empire, le fronton a suivi les évolutions politiques. Il fut modifié au moment de la Restauration et de la monarchie de Juillet.

L'église de la Madeleine [XVIII]

Plusieurs fois retardée par les changements de régime politique, la construction de ce lieu de culte catholique de style néoclassique s'est étalée de 1763 à 1842. Ce vaste monument est flanqué de 52 colonnes corinthiennes de 19,50 m de haut. Sans croix ni clocher, ce sanctuaire que l'on imagina successivement tribunal de commerce, bibliothèque nationale puis gare est une église depuis 1845.

Le Trocadéro

Surplombant le Champ-de-Mars, l'ancien village de Chaillot a pris son visage actuel en 1937 lors de l'Exposition internationale des arts et techniques. Au XIXe siècle, Napoléon avait envisagé de construire sur ce site grandiose une demeure pour son fils puis les révolutionnaires de 1848 pensèrent y édifier un monument pour le peuple, avant que ne soit élevé le palais du Trocadéro en 1878.

LE MUSÉE DE LA MARINE

Installé dans l'aile Passy du palais de Chaillot, il abrite près de 3 000 modèles réduits de paquebots, galères, trois-mâts ou sous-marins. Outre ces maquettes, les visiteurs peuvent aussi y admirer d'extraordinaires figures de proue, le canot d'apparat de Napoléon Ier ou la célèbre série de tableaux des grands ports de France du peintre Joseph Vernet.

LE SAIS-TU ?

Caché sous le nom de M. de Breugnol pour échapper à ses créanciers, Balzac (1799-1850) vécut de 1840 à 1847 dans cette dépendance d'une maison bourgeoise, au cœur du village de Passy. C'est aujourd'hui un musée qui expose manuscrits, livres et objets de l'écrivain.

LE MUSÉE GUIMET [XIX]

Inauguré en 1889, le musée créé par l'industriel lyonnais Émile Guimet (1836-1918) avait pour mission initiale de faire connaître les religions et les civilisations orientales. Il réunit aujourd'hui les plus beaux chefs-d'œuvre de l'art asiatique. Sa bibliothèque réputée abrite sous sa majestueuse coupole une collection de 100 000 livres.

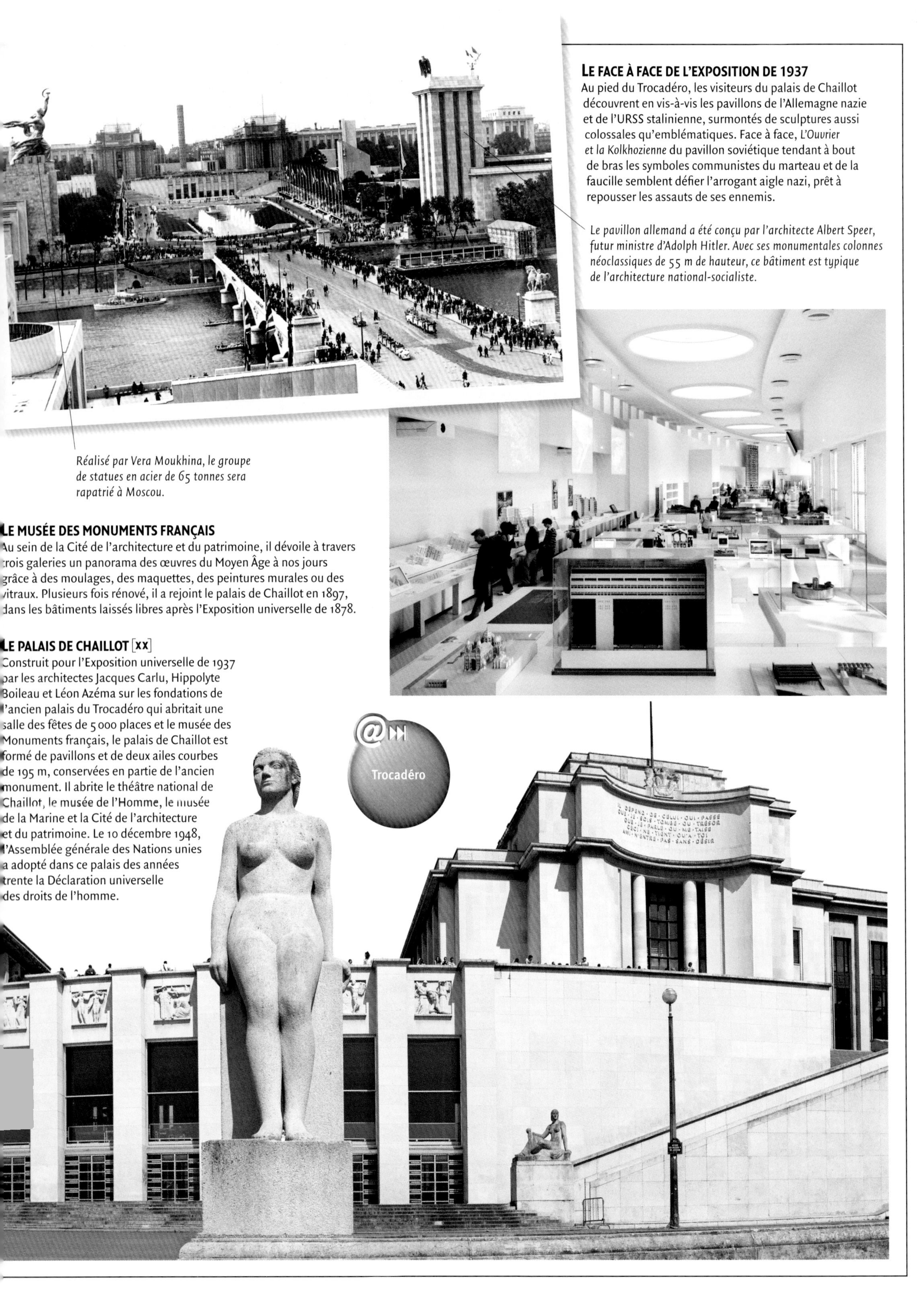

LE FACE À FACE DE L'EXPOSITION DE 1937

Au pied du Trocadéro, les visiteurs du palais de Chaillot découvrent en vis-à-vis les pavillons de l'Allemagne nazie et de l'URSS stalinienne, surmontés de sculptures aussi colossales qu'emblématiques. Face à face, *L'Ouvrier et la Kolkhozienne* du pavillon soviétique tendant à bout de bras les symboles communistes du marteau et de la faucille semblent défier l'arrogant aigle nazi, prêt à repousser les assauts de ses ennemis.

Le pavillon allemand a été conçu par l'architecte Albert Speer, futur ministre d'Adolph Hitler. Avec ses monumentales colonnes néoclassiques de 55 m de hauteur, ce bâtiment est typique de l'architecture national-socialiste.

Réalisé par Vera Moukhina, le groupe de statues en acier de 65 tonnes sera rapatrié à Moscou.

LE MUSÉE DES MONUMENTS FRANÇAIS

Au sein de la Cité de l'architecture et du patrimoine, il dévoile à travers trois galeries un panorama des œuvres du Moyen Âge à nos jours grâce à des moulages, des maquettes, des peintures murales ou des vitraux. Plusieurs fois rénové, il a rejoint le palais de Chaillot en 1897, dans les bâtiments laissés libres après l'Exposition universelle de 1878.

LE PALAIS DE CHAILLOT [XX]

Construit pour l'Exposition universelle de 1937 par les architectes Jacques Carlu, Hippolyte Boileau et Léon Azéma sur les fondations de l'ancien palais du Trocadéro qui abritait une salle des fêtes de 5 000 places et le musée des Monuments français, le palais de Chaillot est formé de pavillons et de deux ailes courbes de 195 m, conservées en partie de l'ancien monument. Il abrite le théâtre national de Chaillot, le musée de l'Homme, le musée de la Marine et la Cité de l'architecture et du patrimoine. Le 10 décembre 1948, l'Assemblée générale des Nations unies a adopté dans ce palais des années trente la Déclaration universelle des droits de l'homme.

Le pont Alexandre III relie l'extraordinaire esplanade des Invalides au Petit et au Grand Palais.

Les Invalides

Élevé par Louis XIV, l'hôtel des Invalides avait pour vocation d'accueillir les soldats invalides ou trop âgés pour servir. Les 4 000 pensionnaires qui y logent travaillent dans des ateliers de tapisserie, de cordonnerie ou de confection d'uniformes. Depuis 1905, le somptueux monument abrite le musée de la Guerre. Il présente la troisième collection d'armes et d'armures anciennes du monde, de petits modèles d'artillerie et un ensemble exceptionnel de pièces du Premier Empire.

Le Petit Journal
SUPPLÉMENT ILLUSTRÉ
Huit pages : CINQ centimes
DIMANCHE 18 OCTOBRE 1896

L'EMPEREUR DE RUSSIE EN FRANCE
Pose de la première pierre du pont Alexandre III

LE PONT ALEXANDRE III [XIX]
Caractéristique de l'art décoratif de la IIIe République, ce pont est une extraordinaire arche métallique de 109 m de long. Prouesse technique, il a été le premier à franchir la Seine d'un seul jet, sans support au milieu du fleuve. Son nom symbolise l'alliance franco-russe qui se nouait à l'époque entre la monarchie des Romanov et la République française contre l'Allemagne. Le chantier a été ouvert (ci-contre) en 1896 par le tsar Nicolas II, fils d'Alexandre III, et par le président français Félix Faure.

Les Invalides abrite plusieurs lieux d'exposition et de culture. Le musée de l'Armée qui expose des collections de l'époque médiévale à nos jours, l'historial Charles de Gaulle et le musée de l'Ordre de la Libération, consacré aux compagnons de la Libération, à la Résistance et à la Déportation. Le site est aussi réputé pour son musée des Plans-reliefs.

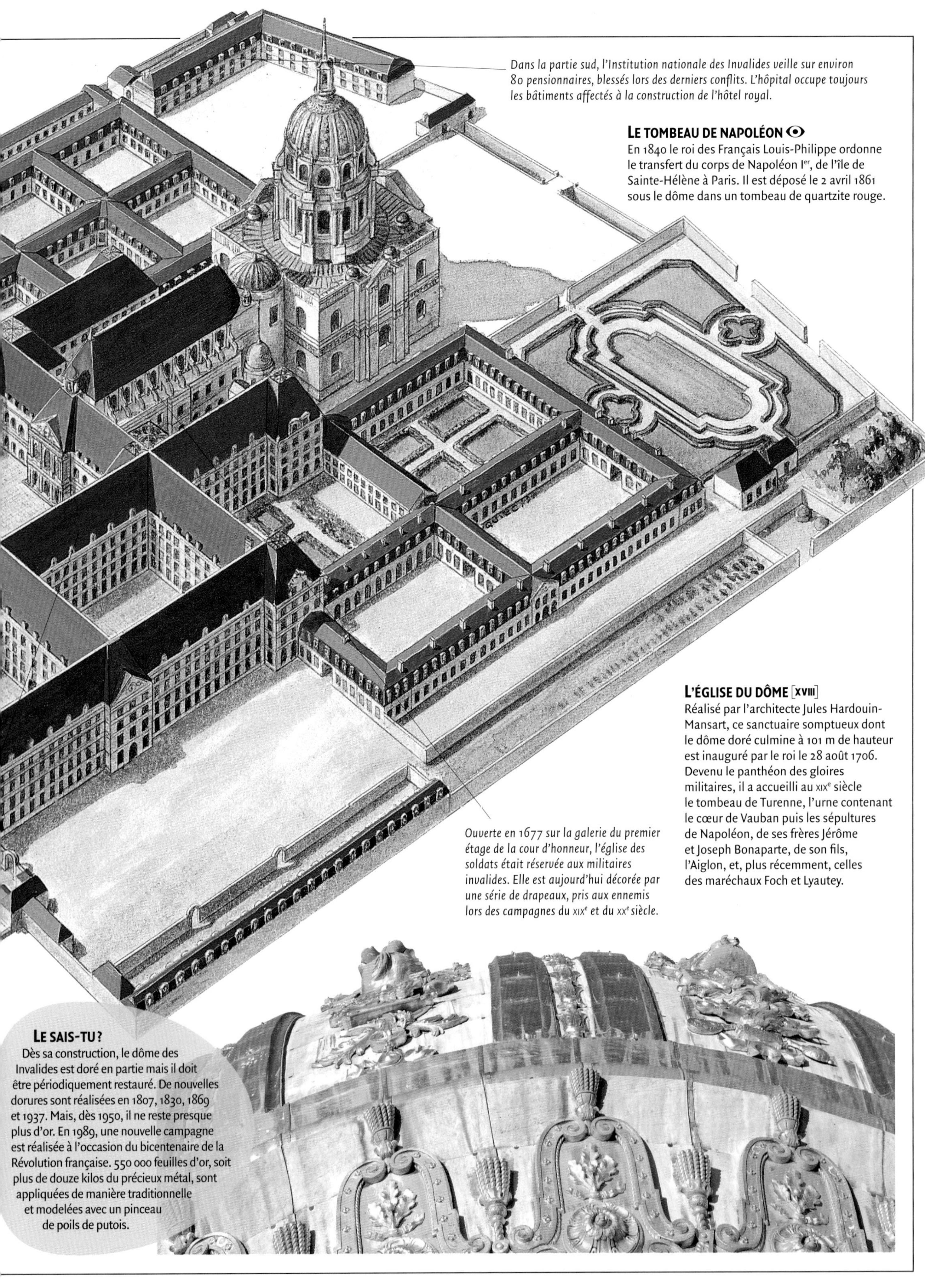

Dans la partie sud, l'Institution nationale des Invalides veille sur environ 80 pensionnaires, blessés lors des derniers conflits. L'hôpital occupe toujours les bâtiments affectés à la construction de l'hôtel royal.

LE TOMBEAU DE NAPOLÉON

En 1840 le roi des Français Louis-Philippe ordonne le transfert du corps de Napoléon Ier, de l'île de Sainte-Hélène à Paris. Il est déposé le 2 avril 1861 sous le dôme dans un tombeau de quartzite rouge.

L'ÉGLISE DU DÔME [XVIII]

Réalisé par l'architecte Jules Hardouin-Mansart, ce sanctuaire somptueux dont le dôme doré culmine à 101 m de hauteur est inauguré par le roi le 28 août 1706. Devenu le panthéon des gloires militaires, il a accueilli au XIXe siècle le tombeau de Turenne, l'urne contenant le cœur de Vauban puis les sépultures de Napoléon, de ses frères Jérôme et Joseph Bonaparte, de son fils, l'Aiglon, et, plus récemment, celles des maréchaux Foch et Lyautey.

Ouverte en 1677 sur la galerie du premier étage de la cour d'honneur, l'église des soldats était réservée aux militaires invalides. Elle est aujourd'hui décorée par une série de drapeaux, pris aux ennemis lors des campagnes du XIXe et du XXe siècle.

LE SAIS-TU ?

Dès sa construction, le dôme des Invalides est doré en partie mais il doit être périodiquement restauré. De nouvelles dorures sont réalisées en 1807, 1830, 1869 et 1937. Mais, dès 1950, il ne reste presque plus d'or. En 1989, une nouvelle campagne est réalisée à l'occasion du bicentenaire de la Révolution française. 550 000 feuilles d'or, soit plus de douze kilos du précieux métal, sont appliquées de manière traditionnelle et modelées avec un pinceau de poils de putois.

Les palais de Paris

Édifié le long des Champs-Élysées pour l'Exposition universelle de 1855, le gigantesque palais de l'Industrie est détruit pour faire place à deux fleurons de l'Exposition universelle de 1900, le Petit et le Grand Palais. Étonnant ensemble architectural, ces deux édifices allient subtilement la pierre, le verre et le métal.

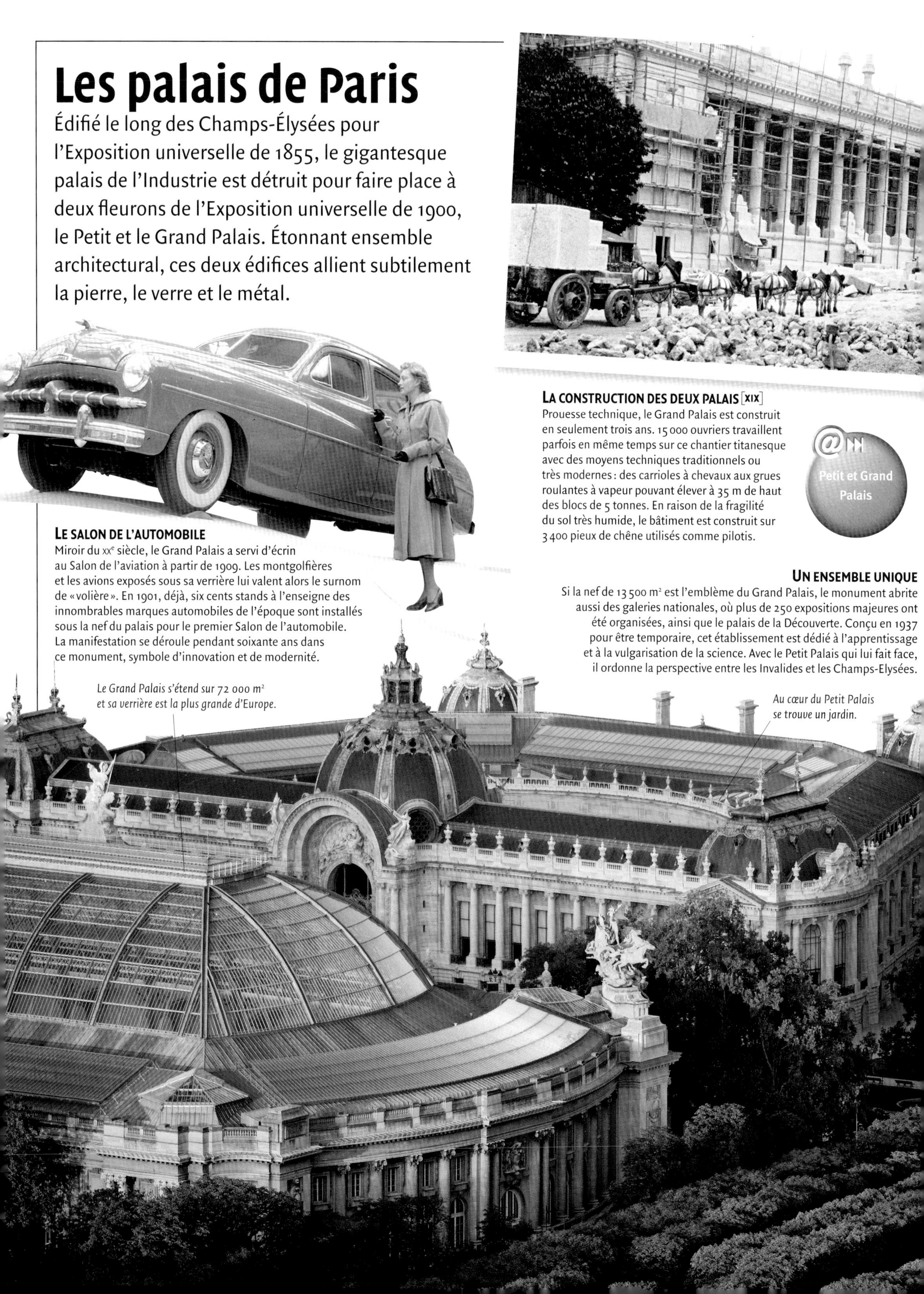

LA CONSTRUCTION DES DEUX PALAIS [XIX]
Prouesse technique, le Grand Palais est construit en seulement trois ans. 15 000 ouvriers travaillent parfois en même temps sur ce chantier titanesque avec des moyens techniques traditionnels ou très modernes : des carrioles à chevaux aux grues roulantes à vapeur pouvant élever à 35 m de haut des blocs de 5 tonnes. En raison de la fragilité du sol très humide, le bâtiment est construit sur 3 400 pieux de chêne utilisés comme pilotis.

LE SALON DE L'AUTOMOBILE
Miroir du XXe siècle, le Grand Palais a servi d'écrin au Salon de l'aviation à partir de 1909. Les montgolfières et les avions exposés sous sa verrière lui valent alors le surnom de « volière ». En 1901, déjà, six cents stands à l'enseigne des innombrables marques automobiles de l'époque sont installés sous la nef du palais pour le premier Salon de l'automobile. La manifestation se déroule pendant soixante ans dans ce monument, symbole d'innovation et de modernité.

UN ENSEMBLE UNIQUE
Si la nef de 13 500 m² est l'emblème du Grand Palais, le monument abrite aussi des galeries nationales, où plus de 250 expositions majeures ont été organisées, ainsi que le palais de la Découverte. Conçu en 1937 pour être temporaire, cet établissement est dédié à l'apprentissage et à la vulgarisation de la science. Avec le Petit Palais qui lui fait face, il ordonne la perspective entre les Invalides et les Champs-Elysées.

Le Grand Palais s'étend sur 72 000 m² et sa verrière est la plus grande d'Europe.

Au cœur du Petit Palais se trouve un jardin.

Aux angles de la façade principale du Grand Palais, des groupes de chevaux, œuvres du sculpteur Georges Récipon, s'élancent au-dessus des pavillons.

LE GRAND PALAIS TOUT NEUF [XIX]

Recouvrant le Grand Palais, la voûte de verre est une merveille de grâce et de légèreté, posée sur une armature métallique Art nouveau de 8 500 tonnes. Dédiée aux beaux-arts avant d'abriter d'autres manifestations, elle a notamment accueilli le Salon d'automne de 1905, célèbre pour les audaces chromatiques de Matisse, Braque ou Derain, initiateurs du fauvisme. Au fil des ans, l'état de la charpente métallique s'est fortement dégradé. En 1993, un rivet tombe aux pieds d'un visiteur et incite les autorités à mettre en œuvre une rénovation achevée en 2007.

LE PETIT PALAIS, MUSÉE DES BEAUX-ARTS DE LA VILLE DE PARIS [XIX]

Construit pour l'Exposition universelle de 1900 par l'architecte Charles Girault, ce monument s'ordonne en quatre corps de bâtiments éclairés par la lumière naturelle des verrières, coupoles transparentes et baies, autour d'un jardin semi-circulaire. Devenu musée en 1902, ce fleuron architectural décoré de mosaïques et de ferronneries expose des collections de l'Antiquité grecque, des peintures de Rubens et de Rembrandt et de nombreuses œuvres de l'art français entre 1870 et 1918.

Le Petit Palais s'ouvre par un porche monumental surmonté d'un dôme. Dessinée par Girault, la grille de la porte d'entrée est un chef-d'œuvre de ferronnerie.

L'Opéra Garnier

Autrefois mondain et aristocrate, le quartier a été transformé dans la seconde partie du XXe siècle après la construction de la gare Saint-Lazare et les grands travaux du baron Haussmann. La construction de l'opéra de Charles Garnier fixe à jamais le tracé des voies nouvelles, pensées pour mettre en valeur ce bijou de l'architecture impériale. Des travaux considérables sont réalisés et le quartier se métamorphose. Il devient un haut lieu de plaisir avec ses cafés, ses théâtres et ses commerces de luxe qui scintillent sur la place Vendôme, mais aussi l'un des centres des affaires de la capitale. Les banques, les imprimeries et les journaux s'installent à proximité, près de la Bourse.

L'original de l'œuvre de Carpeaux est exposé au musée d'Orsay. Sa copie, en place sur la façade de l'Opéra, est l'œuvre de Paul Belmondo.

LA SALLE DE SPECTACLE [XIX]
Illuminé par un lustre de 8 tonnes, le plafond de la salle de spectacle a été redécoré en 1964 par le peintre Marc Chagall. Sa fresque de 220 m² s'inspire de neuf opéras et ballets mythiques, répartis en cinq zones de couleurs. Salle de spectacle « à l'italienne », avec ses balcons et ses loges sur cinq niveaux, l'Opéra peut accueillir près de 2 000 spectateurs.

LA DANSE DE CARPEAUX
A la demande de l'architecte Charles Garnier, Jean-Baptiste Carpeaux réalise ce groupe de sculptures symbolisant la danse et destiné à décorer la façade de l'Opéra. L'artiste multiplie les projets pour obtenir cette farandole de femmes encerclant le génie de la danse. La sensation du mouvement est parfaite mais le public est horrifié par le réalisme des nus féminins. Une bouteille d'encre est jetée contre les danseuses de marbre et leur enlèvement est exigé. La polémique ne cessera qu'après la mort de Carpeaux en 1875.

L'OPÉRA GARNIER DE NUIT [XIX]

Dédié à l'art et au plaisir, ce monument est l'œuvre de Charles Garnier, un jeune architecte qui remporte le concours à l'âge de 35 ans. Il a imaginé un monument de marbre polychrome au luxe inouï avec sa salle de spectacle, son escalier monumental, sa bibliothèque-musée ainsi que plusieurs studios de répétition. Une immense rampe d'accès avait même été conçue pour accueillir le carrosse de Napoléon III, mais le jour de l'inauguration, la France est républicaine depuis cinq ans !

L'avenue de l'Opéra ne comporte volontairement aucun arbre afin que les passants puissent admirer ce symbole éclatant du second Empire.

LE SAIS-TU ?

Inspirée de la colonne Trajane à Rome, hommage aux guerres de l'empereur Trajan contre les Daces (début IIe siècle), la colonne Vendôme fut élevée à la gloire de l'armée de Napoléon Ier. Réalisée avec le bronze des 1 200 canons pris à l'ennemi à la bataille d'Austerlitz, une frise déroule en spirale sur 280 m des bas-reliefs représentant la campagne de 1805.

LA CHUTE DE LA COLONNE VENDÔME [XIX]

Dès septembre 1870, le peintre Gustave Courbet propose de la déboulonner. Plus radical, le gouvernement de la Commune fait abattre, le 16 mai 1871, ce symbole de l'Empire. La scène est immortalisée par un photographe qui cadre sur la statue de Napoléon en empereur romain, qui orne le sommet du fût. Jugé responsable de la chute de la colonne lors d'un procès en 1873, Courbet est condamné à rembourser les frais de sa reconstruction et perd toute sa fortune.

Les Grands Boulevards

Situés sur les anciennes fortifications de Charles V et de Louis XIII, les Grands Boulevards sont devenus des lieux de fêtes et de spectacle à partir du XVIIIe siècle. Le cœur de Paris a longtemps palpité entre les passages couverts, les grands magasins et les théâtres avant que le quartier ne s'assagisse avec l'emprise grandissante des banques, des compagnies d'assurances et des sièges sociaux d'entreprises.

DES TRAVAUX PHARAONIQUES

Chargé par Napoléon III de moderniser et d'assainir Paris où les épidémies faisaient des ravages, le baron Haussmann détruit 120 000 logements insalubres et les remplace par 34 000 immeubles sur de belles avenues bordées de larges trottoirs. Il fait ouvrir l'avenue de l'Opéra en arasant la butte des Moulins pour relier la rue de Rivoli au palais de l'art lyrique et de la danse de Garnier, bijou architectural du second Empire.

LA GALERIE VIVIENNE [XIX]

Ouverte au public en 1826, cette galerie est l'un des fleurons des passages couverts qui se multiplient dans le quartier au début du XIXe siècle. Lieux de commerce et de plaisirs, ils permettent aussi aux passants de se reposer de l'effervescence des Grands Boulevards. Décorée des symboles de la réussite (lauriers), de la richesse (corne d'abondance) et du commerce (caducée de Mercure), la galerie Vivienne dévoile ses charmes sur près de 176 m de long.

LE BOULEVARD DU CRIME [XVIII]

A partir du milieu du XVIIIe siècle, le boulevard du Temple qui suivait le tracé de l'enceinte de Charles V devient le lieu des montreurs d'animaux, des acrobates et des théâtres ambulants de marionnettes. A la fin du siècle sont construits de nombreux théâtres en dur présentant des pièces mélodramatiques où empoisonnements, meurtres et assassinats se succèdent. Ces spectacles valent à l'artère le surnom de « boulevard du crime ».

De gauche à droite : le Théâtre-lyrique, le Café des artistes, le théâtre impérial du Cirque, le théâtre des Folies-Dramatiques, le théâtre de la Gaîté, le théâtre des Funambules et le théâtre Lazari

Le Printemps fut inauguré sur les Grands Boulevards en 1865.

La verrière du Printemps

Réalisée par le maître-verrier Brière en 1923, la coupole du magasin parisien déploie ses panneaux de verre coloré sur l'immense salle du restaurant du sixième étage. Elle fut démontée au début de la Seconde Guerre mondiale pour éviter sa destruction par des bombardements.

Le sais-tu ?

Créé en 1888 par Joseph Oller, fondateur du Moulin Rouge, l'Olympia est le plus ancien théâtre de music-hall de Paris encore en activité. Il a accueilli des artistes prestigieux comme Brel, Brassens ou Piaf, mais aussi des cirques, des ballets et des opérettes.

Le Grand Rex [xx]

Concurrent du Gaumont Palace de la place Clichy, aujourd'hui disparu, cette cathédrale de béton est construite en 1932 à l'initiative de Jacques Haïk, distributeur des films de Charlie Chaplin, qui souhaitait rivaliser avec les cinémas américains. Grâce au génie de l'architecte et décorateur Auguste Bluysen, il offre aux Parisiens l'un des plus beaux théâtres du monde. Sa salle principale accueille plus de 2 700 personnes éblouies par son écran géant, son décor andalou et son plafond constellé d'étoiles.

Le Palais-Royal

Somptueuse demeure de Richelieu, le Palais-Cardinal se transforme en Palais-Royal à la mort du ministre de Louis XIII. Édifiés en 1781, les pavillons qui entourent le jardin sont et accueillent des appartements et des galeries bordées de boutiques. Le site très officiel que nous connaissons aujourd'hui ne laisse rien deviner de la fièvre révolutionnaire qui enflamma le Palais-Royal au XVIIIe siècle, ni de sa mutation en un vaste lieu de rendez-vous galants au siècle suivant.

PALAIS RÉVOLUTIONNAIRE

Dès les premiers jours de la Révolution française, le Palais-Royal devint le centre de toutes les agitations populaires. Le 12 juillet 1789, le lendemain du renvoi de Necker, Camille Desmoulins juché sur une table du café de Foy appelle le peuple à la résistance. Il invite les promeneurs à arborer une feuille verte des arbres du jardin, symbole de l'espoir. Son activisme sera mal récompensé. Il s'opposera, au côté de Danton, à l'essor de la Terreur et sera condamné à mort par le Tribunal révolutionnaire.

LA PREMIÈRE D'« HERNANI »

Représentée pour la première fois à la Comédie-Française le 25 février 1830, le drame de Victor Hugo donne lieu à une célèbre bataille entre les jeunes romantiques comme Gautier, Balzac, Nerval ou Berlioz et les tenants d'un théâtre traditionnel. Cris, injures, coups, la représentation est émaillée d'incidents. Les partisans du romantisme finissent par l'emporter pour un temps.

@ Palais-Royal

Le Théâtre-Français qui héberge la Comédie-Française se trouve depuis 1799 au cœur du Palais-Royal.

COLETTE À LA FENÊTRE DE SON APPARTEMENT DU PALAIS-ROYAL

Entre 1926 et 1930, l'écrivain Colette s'installe au Palais-Royal mais dans un sombre entresol qu'elle doit quitter pour des raisons de santé. Venue de sa Puisaye natale à la conquête de Paris à l'âge de 20 ans, elle a habité de nombreux quartiers de Paris : le quai des Grands-Augustins, à son arrivée, et aussi, entre autres, la rue Jacob et la rue de Courcelles. De 1938 à sa mort, en 1954, elle emménage à nouveau au Palais-Royal au premier étage cette fois avec la vue sur le jardin. Elle est la voisine de Jean Cocteau qui écrivait : « Le Palais-Royal est une petite ville de province dans Paris. Tout le monde s'y connaît et s'y parle. Le soir on ferme les grilles à pointe d'or et nous sommes chez nous. » Colette sera inhumée au Père-Lachaise, première femme à avoir droit à des funérailles nationales.

LE KIOSQUE DES NOCTAMBULES

Œuvre du plasticien français Jean-Michel Othoniel, ces deux étranges coupoles furent installées en 2000 sur la place Colette, sur le côté de la Comédie-Française, pour célébrer le centenaire du métro de Paris. Interprétation très contemporaine des célèbres entrées d'Hector Guimard, cette nouvelle bouche de métro, sculpture poétique, est faite de perles de verre et de fonte d'aluminium.

LES JARDINS DU PALAIS-ROYAL

Partisan de l'art « in situ », Buren a installé en 1986 ses colonnes rayées ❶ dans la cour d'honneur du Palais-Royal, déclenchant alors une polémique oubliée aujourd'hui. La plus grande partie de l'aile Valois (à droite de la galerie d'Orléans ❷) est attribuée au ministère de la Culture et de la Communication. Le jardin, agrémenté de deux doubles rangées de tilleuls ❸ et d'une pièce d'eau ❹, est aujourd'hui un havre de paix en plein centre de Paris. Les immeubles et les galeries ❺ qui le bordent ont été construits pour renflouer les finances de la famille d'Orléans à la fin du XVIIIe siècle par Philippe Égalité, duc d'Orléans, qui votera la mort du roi Louis XVI son cousin en 1793. Maisons de jeu, cafés, lieux de prostitution et boutiques se développèrent autour du jardin jusqu'à leur fermeture par Louis-Philippe en 1836.

LE PALAIS-ROYAL [XVIII]

En 1815, le duc d'Orléans, futur Louis-Philippe, roi des Français de 1830 à 1848, donne au Palais-Royal son aspect définitif avec la cour d'honneur, la galerie d'Orléans et l'aile Montpensier où est installé le Conseil constitutionnel, créé sous la Ve République. Le Conseil d'État, plus haute juridiction administrative, occupe la partie centrale du Palais-Royal (ci-dessus) depuis 1875. Les salons ont été remplacés par des salles de séance.

La salle de lecture de l'ancienne BN, à la fine architecture de fer, est l'œuvre (1854) de l'architecte Henri Labrouste. Cet établissement possède 120 km de rayonnage.

LE SAIS-TU ?

Berceau de la Bibliothèque nationale (BN), le site de la rue de Richelieu accueillit, à partir de 1666, sur l'ordre de Colbert, les collections royales jusqu'alors itinérantes. Trop à l'étroit, la BN déménage dans la TGB (p. 54) en 1996. Il reste rue de Richelieu le cabinet des médailles. La BN et la TGB forment la BNF.

Le Louvre

Forteresse puis palais des rois de France, le Louvre est une véritable ville dans la ville et abrite depuis la fin du XVIIIe siècle l'un des plus riches musées du monde. Les 160 000 m² de salles et de galeries de cette cité des arts permettent d'exposer 35 000 œuvres en permanence. Si le Louvre n'est plus le centre politique du pays, il reste une vitrine prestigieuse de l'architecture brillante et de l'histoire tourmentée de la France.

LE SAIS-TU ?
Conçue pour être la grande entrée du Louvre, cette façade monumentale dite «la colonnade», large de 175 m, est dominée par un péristyle à doubles colonnes imaginé par les architectes Perrault, Le Vau et d'Orbay. De nombreux projets ont été proposés pour cette façade et, ensuite, pour ouvrir devant ce chef-d'œuvre de l'architecture classique une immense avenue, mais aucun n'a abouti.

LA CITÉ DU LOUVRE

❶ Construite le long de la Seine sous le règne d'Henri IV, la Grande Galerie permettait de relier le Louvre aux Tuileries. Jusqu'au Premier Empire, son rez-de-chaussée accueillait les artistes protégés par les souverains.

❷ Les appartements Napoléon III ont abrité le ministère des Finances de 1871 à 1989.

❸ Point d'accès au hall central du musée visité chaque année par plus de 8 millions de personnes, la pyramide formée de 793 losanges et rectangles de verre est le joyau du Grand Louvre de l'architecte Ming Pei. Sa structure transparente permet de conserver la perspective sur les façades de la cour Napoléon.

❹ Imaginée par l'architecte Pierre Lescot et décorée par Jean Goujon, la façade Renaissance de la cour Carrée est la plus ancienne du Louvre.

Les pères bénédictins du monastère vénitien de San Giorgio Maggiore avaient commandé un tableau gigantesque : la toile mesure 6,66 x 9,90 m et compte 132 personnages !

DEVANT LES NOCES DE CANA

Réalisé en 1563 pour le réfectoire du monastère bénédictin de San Giorgio Maggiore à Venise, ce tableau de dimensions exceptionnelles a été saisi, roulé et transporté par bateau jusqu'à Paris par les troupes de Bonaparte en 1797. Soucieux de placer le spectateur dans la scène en travaillant la perspective, Véronèse représente, dans un luxueux contexte vénitien, les noces à la fin desquelles Jésus transforme l'eau en vin. Situé dans la section des peintures italiennes, au premier étage, il attire toujours une grande foule.

4

NAPOLÉON Ier VISITANT LE LOUVRE

Les deux architectes Charles Percier et Pierre-François Fontaine accueillent l'Empereur dans le nouvel escalier du Louvre qui sera détruit sous Napoléon III. Ils sont chargés d'agrandir la place du Carrousel et d'achever la cour Carrée. Pour Napoléon Ier à qui ils présentent leur réalisation, le Louvre fait œuvre de propagande en exposant les trésors de guerre rapportés de chaque campagne militaire.

Les Tuileries

Le jardin des Tuileries est le plus ancien et le plus vaste parc public de Paris. Cadre de fêtes somptueuses à l'époque de Catherine de Médicis, terrain de chasse et d'équitation sous Henri IV, il s'impose comme le lieu de promenade idéal pour les élégants Parisiens de la bonne société au temps de Louis XIV et de ses successeurs. Il est aujourd'hui un musée en plein air et un havre de paix entre l'effervescence de la place de la Concorde et les musées du Louvre et d'Orsay.

UN MUSÉE EN PLEIN AIR

D'une superficie de 28 hectares, le jardin des Tuileries est l'écrin de centaines de statues dont les plus anciennes proviennent des châteaux royaux de Versailles, Fontainebleau et Marly. De nombreuses sculptures ont été endommagées lors des combats de la libération de Paris en août 1944, des blindés allemands s'étant retranchés dans le parc. A l'ouest du jardin, Napoléon III fait construire une orangerie et une salle de jeu de paume. Les deux bâtiments identiques abritent aujourd'hui un musée d'Art moderne et un musée d'art contemporain.

ARC DE TRIOMPHE DU CARROUSEL [XIX]

Entrée monumentale du palais des Tuileries, cette réplique de l'arc de Septime Sévère à Rome commémore la victoire d'Austerlitz. Ses colonnes de marbre blanc et rouge sont décorées par huit soldats de la Grande Armée : un cuirassier, un dragon, un grenadier à cheval, un chasseur à cheval, un grenadier, un canonnier, un carabinier et un sapeur. A l'origine, un groupe de chevaux de bronze enlevé à la basilique Saint-Marc de Venise surmontait le monument. Ce quadrige a été remplacé par une copie après sa restitution en 1815.

LES TUILERIES EN FEU

Elevé à partir de 1564 à l'emplacement occupé auparavant par une fabrique de tuiles, le palais des Tuileries devient la résidence exclusive des souverains français au XIXe siècle. Symbole du pouvoir royal, il est incendié dans un geste désespéré par les communards à la fin du mois de mai 1871, au moment où les Versaillais reprennent possession de la capitale. Les vestiges noircis du palais ne seront démolis qu'en 1883 après de longs débats.

Un jardin à tout faire

Lieu de promenades et de fêtes galantes, le jardin des Tuileries a accueilli le premier Salon de l'automobile en 1898, en contrebas de la terrasse des Feuillants, et les épreuves d'escrime aux jeux Olympiques de 1900. Pendant l'Occupation (1940-1944), une partie du jardin a aussi servi de potager aux Parisiens et la salle du Jeu de paume servit d'entrepôt pour entasser les œuvres saisies ou pillées par les Allemands.

L'arc du Carrousel est situé dans l'axe de la grande perspective entre la pyramide du Louvre et la Grande Arche de la Défense.

Le sais-tu ?

Permettant aux piétons de passer du musée d'Orsay au jardin des Tuileries, la passerelle Léopold Sédar Senghor couverte de bois exotique franchit la Seine d'une seule arche. Entre 1861 et 1961, un pont en fonte permettait le passage de véhicules entre les deux rives. Fragilisé par des chocs avec les péniches, il fut remplacé par une passerelle métallique démolie en 1992.

Le musée d'Orsay [XIX]

Construite par Victor Laloux pour l'Exposition universelle de 1900, la gare d'Orsay est menacée de destruction au début des années 1970. Métamorphosé en palais des arts, le grandiose monument expose toutes les formes de créations artistiques de 1848 à 1914, formant un lien parfait entre les collections du Louvre et celles de Beaubourg. Chaque année trois millions de visiteurs admirent les chefs-d'œuvre de la peinture, de la sculpture, de la photographie ou des décors d'opéra du XIXe siècle.

Le bâtiment est long de 188 m et large de 75 m. Il est formé de 12 000 tonnes de structures métalliques et de 35 000 m² de verrières et de parois vitrées.

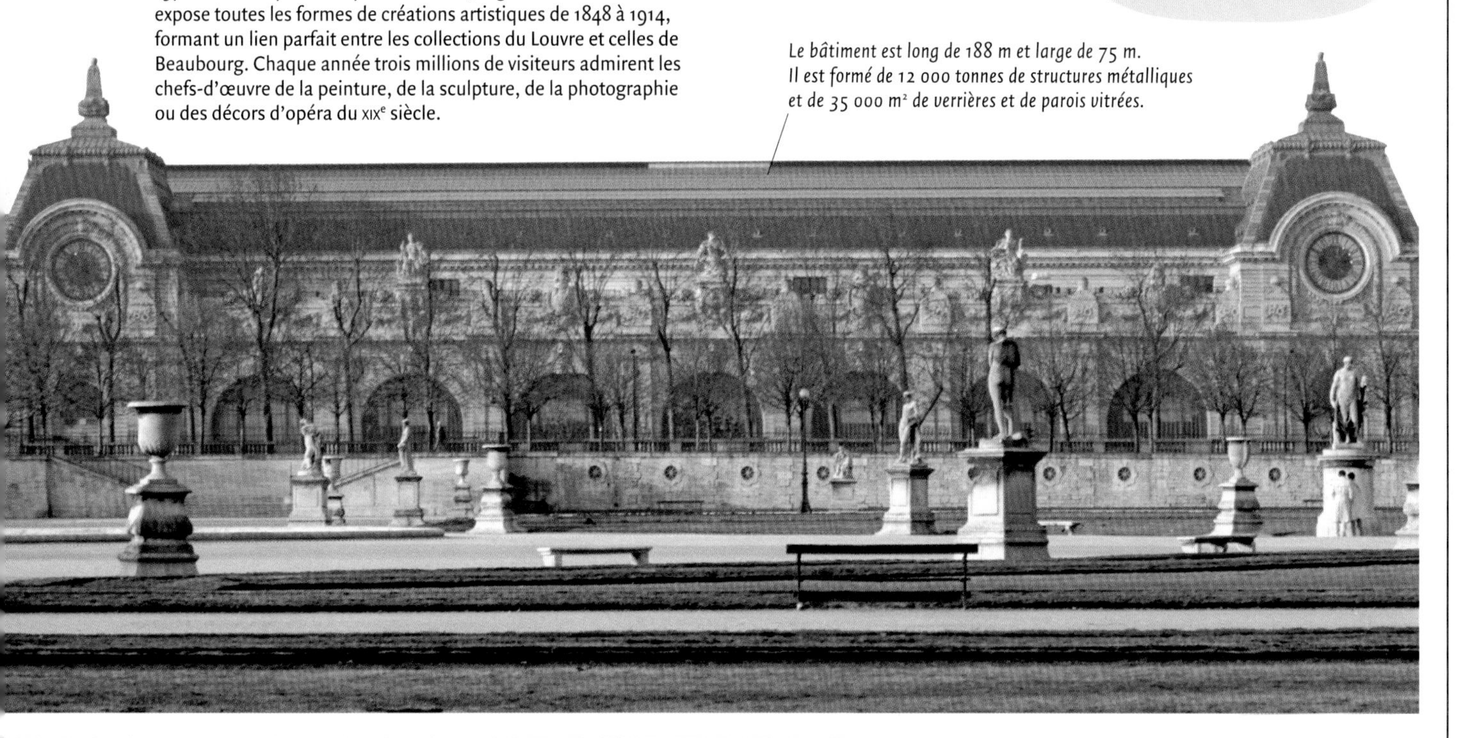

Le Marais

Entre l'Hôtel de Ville, la place de la Bastille et la place de la République, le quartier du Marais offre un patrimoine architectural exceptionnel. Avec ses ruelles étroites et ses hôtels particuliers chargés d'histoire, ce musée en plein air est l'un des rares quartiers centraux de la capitale épargné par les travaux haussmanniens. Formé aujourd'hui de galeries d'art, de boutiques de mode et de lieux festifs, le Marais était autrefois un vaste marécage à qui il doit son nom.

Marais

Au XIXe siècle, l'hôtel Fieubet est richement décoré de motifs néo-baroques: fruits, portraits, guirlandes envahissent les façades.

Les cours du musée Carnavalet sont ornées de parterres de buis aux motifs stylisés.

LE MUSÉE DE PARIS [XVI]
Attaché au souvenir de la marquise de Sévigné qui l'habita de 1677 à 1694, l'hôtel Carnavalet a été construit entre 1548 et 1560 par Pierre Lescot, décoré par le sculpteur Jean Goujon puis rénové par François Mansart au XVIIe siècle. Relié à l'hôtel Le Peletier de Saint-Fargeau, il forme le musée Carnavalet consacré à l'histoire de la capitale.

L'HÔTEL FIEUBET [XVII]
Construit à la fin du XVIe siècle, l'hôtel est acquis en 1676 par Gaspard Fieubet, chambellan de la reine Marie-Thérèse d'Autriche. Très riche, ce dernier le fait moderniser suivant les plans de Jules Hardouin-Mansart. Transformé en raffinerie de sucre en 1816, il est largement rénové au milieu du XIXe siècle.

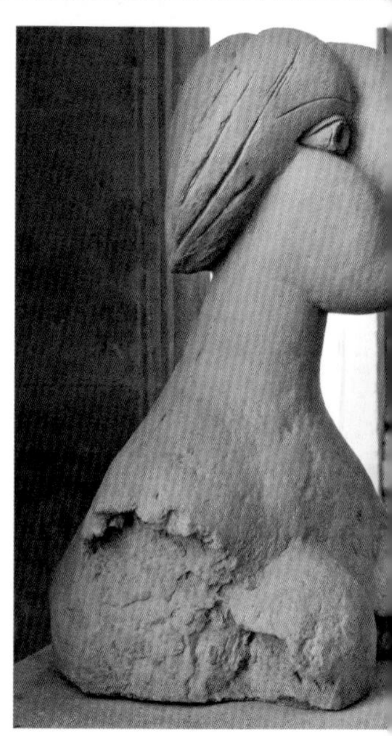

ɈN QUARTIER JUIF

résente dans le quartier depuis le Moyen ge, la communauté juive se développe u XIXe siècle lors des persécutions et des ogroms d'Europe centrale et d'Europe e l'Est. Très animée, la rue des Rosiers st réputée pour ses restaurants raditionnels et ses magasins de falafels.

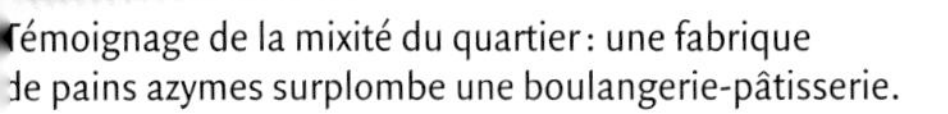

Témoignage de la mixité du quartier : une fabrique de pains azymes surplombe une boulangerie-pâtisserie.

LE MUSÉE PICASSO [XVII]

Édifié en 1659, ce magnifique palais est surnommé l'hôtel Salé par les Parisiens car son premier propriétaire était chargé de récolter la gabelle, l'impôt perçu sur le sel. Aujourd'hui dédié à l'œuvre de Pablo Picasso, ce palais somptueux, doté d'un extraordinaire escalier sculpté, fut autrefois occupé par l'ambassadeur de Venise.

L'avion avec lequel Blériot franchit la Manche pour la première fois, le 25 juillet 1909, est suspendu sous la voûte du musée dans l'ancienne église.

LE SAIS-TU ?

Fondé par l'abbé Grégoire, le musée des Arts et Métiers est installé depuis 1798 dans les bâtiments de l'ancien prieuré royal de Saint-Martin-des-Champs qui était sur le point de tomber en ruine. Il présente un parcours dans l'histoire et l'actualité des techniques.

L'HÔTEL DE SENS [XV]

Construit à partir de 1474, l'hôtel a été la résidence parisienne des archevêques de Sens et de l'extravagante reine Margot. Il abrite depuis 1961 la bibliothèque Forney, consacrée aux arts, à l'artisanat et aux techniques. Avec la maison de Jacques Cœur et l'hôtel de Cluny, il est l'un des rares vestiges de l'architecture civile médiévale à Paris.

Le bâtiment mêle des éléments gothiques et Renaissance avec ses pignons et ses tourelles.

Le sais-tu ?
Au début du XVIIe siècle, le carrousel remplace les tournois lors des grandes festivités. Montés sur leurs fringants chevaux, les seigneurs paradent, forment des ballets et se lancent des défis. Devant un parterre de spectateurs enthousiastes, les participants doivent planter leur lance dans un mannequin ou dans un anneau placé au sommet d'un pilier. Spectacle d'un luxe inouï, représenté dans de nombreuses gravures, le carrousel de 1612 se termine par d'extraordinaires feux d'artifice et des illuminations.

La place des Vosges

Inaugurée en 1612, la place Royale est aménagée par Henri IV qui souhaite en faire un lieu de fête et de promenade. Changeant plusieurs fois de nom lors de la Révolution, elle est tour à tour baptisée place « des Fédérés », « du Parc-d'Artillerie », « de la Fabrication-des-Armes » et « de l'Indivisibilité ». Elle prend son nom définitif en 1800 en l'honneur du premier département acquittant l'impôt.

L'un des architectes de la place, Claude Chastillon, reçut en cadeau royal une parcelle et fit construire son propre hôtel.

LES FAÇADES

Lieu de résidence de l'aristocratie avant son installation à Versailles, la place est composée de 36 pavillons ou hôtels ticuliers. Henri IV ayant exigé une uniformité parfaite à l'exception de l'immeuble royal, es pavillons ont tous 2 étages sur 4 arcades sont couronnés d'ardoises bleues d'Angers. eurs façades sont exclusivement construites de briques et de pierres et seuls certains balcons ou lucarnes les différencient.

LA MAISON DE VICTOR HUGO

Entre 1832 et 1848, Victor Hugo réside avec sa famille au deuxième étage de l'hôtel Rohan-Guéméné, au n° 6 de la place. Il y écrit certaines de ses œuvres majeures telles que *Ruy Blas* et une grande partie des *Misérables* et y reçoit Alfred de Vigny, Alphonse de Lamartine ou Prosper Mérimée. Sa maison abrite aujourd'hui le musée Victor-Hugo où sont exposés les dessins, photographies et souvenirs de famille de l'artiste.

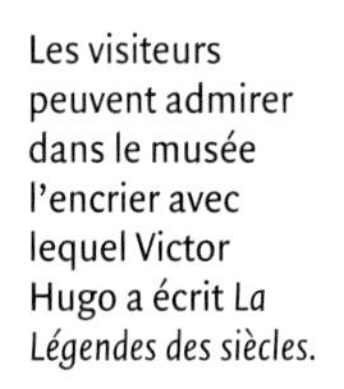

Les visiteurs peuvent admirer dans le musée l'encrier avec lequel Victor Hugo a écrit *La Légendes des siècles*.

ACCUEILLANTES ARCADES

Les anciennes promenades des aristocrates sont devenues des galeries marchandes avec des magasins d'antiquités, des librairies d'art, des galeries de peinture, des cafés et des salons de thé. Mais les arcades abritent aussi des passages secrets. Au numéro 9 de la place des Vosges, une porte conduit à travers l'Orangerie au jardin de l'hôtel de Sully, l'ancienne demeure de l'illustre ministre d'Henri IV qui acheva sa construction en 1634.

❶ *Des tribunes sont dressées sur le côté ouest pour le jeune roi, la reine régente et l'ambassadeur d'Espagne.*

LES FIANÇAILLES DE LOUIS XIII ET D'ANNE D'AUTRICHE

Le 5 avril 1612, la place est inaugurée par des doubles fiançailles : celle de Louis XIII et d'Anne d'Autriche et de la jeune sœur du roi Elisabeth avec l'infant d'Espagne, futur Philippe IV. Pendant trois jours, les spectateurs placés dans des tribunes construites pour l'occasion fêtent l'alliance matrimoniale entre la France et l'Espagne.

❷ *Un petit château, le palais de la Félicité, est construit pour la fête sur la place. Les seigneurs doivent le défendre à tour de rôle.*

Les pavillons sont composés d'un rez-de-chaussée à arcades, de deux étages d'habitation et de deux étages de comble.

Place des Vosges

Les halles

Gigantesque marché avant le déménagement des halles à Rungis, le quartier est toujours l'un des cœurs marchands de la capitale. Longtemps contestés par les Parisiens, le complexe commercia des Halles et le Centre Georges-Pompidou sont les fers de lance d'un quartier animé où l'architecture contemporaine côtoie les gargouilles médiévales et les boutiques ultramodernes les églises Saint-Eustache et Saint-Merri. Pôle vibrant de la capitale, le quartier est aussi ouvert sur toute l'Ile-de-France grâce à sa gare centrale.

AU TEMPS DES HALLES [XIX]
« Ventre de Paris » depuis le XIIe siècle, les halles s'organisent sous Napoléon III avec la construction de dix pavillons de fer et de verre sur les plans de Victor Baltard. Un immense marché de gros fonctionne jusqu'en 1969, les grossistes étant alors transférés à Rungis et les pavillons détruits à l'exception de deux d'entre eux. L'un a été reconstruit à Nogent-sur-Marne pour y abriter une salle de spectacle et l'autre a été acquis par la ville japonaise de Yokohama.

LE SAIS-TU ?
Pendant plusieurs années, Paris conserve un gigantesque trou à l'emplacement des anciens pavillons détruits sans projet défini de remplacement. En 1973, il servira même de décor au western *Touche pas à la femme blanche* de Marco Ferreri ! Le trou des Halles deviendra la plus grande gare d'Europe en sous-sol et un centre commercial souterrain.

@ Halles

L'HÔTEL DE VILLE [XIX]
Lieu de proclamation de la IIe et de la IIIe République, l'Hôtel de Ville est incendié par les communards en mai 1871. Reconstruit sur le même emplacement entre 1874 et 1882, le monument actuel s'inspire largement de l'architecture néo-renaissance du bâtiment disparu. Les façades sont décorées par 108 statues de personnages historiques nés dans la capitale. Plus grand hôtel de ville d'Europe, il est toujours le siège de l'exécutif municipal.

L'ÉGLISE SAINT-EUSTACHE [XVI]
Edifiée entre 1532 et 1640 pour marquer le retour de la Cour royale à Paris, cette vaste église construite sur un plan gothique est l'un des phares du quartier avec ses 33 m de haut, 88 m de long et 43 m de large. Saint-Eustache a été le lieu de baptême des futurs cardinal de Richelieu, Molière et autre marquise de Pompadour.

LA FONTAINE STRAVINSKY
Réalisée en 1983, cette création singulière associe les sculptures rondes et colorées de Niki de Saint Phalle et les machines noires et grinçantes de Jean Tinguely. Serpent en tire-bouchon, éléphant-clown ou sirène-ballerine, ils forment une parade enjouée en l'honneur du compositeur Igor Stravinsky.

UN PAQUEBOT COLORÉ [XX]
Longtemps critiqué pour son architecture provocante, le Centre Georges-Pompidou inauguré en 1977 accueille aujourd'hui près de 25 000 visiteurs par jour ! Derrière des canalisations, gaines électriques et tuyauteries colorées, ce monument extraordinaire abrite le musée national d'Art moderne (MNAM) sur ses deux derniers étages, et sur d'autres niveaux des salles de création, de débat, de recherches, de lecture et de cinéma.

Sur la façade, la « chenille » monte en zig-zag jusqu'au belvédère situé au 6e étage.

Montmartre

Juché sur une colline au nord de Paris, sur le site légendaire du martyre de saint Denis, le village de Montmartre n'a été annexé à Paris qu'en 1860. Avec ses cabarets, ses rues sinueuses et ses maisons basses immortalisés par les peintres Toulouse-Lautrec ou Utrillo, la « butte » est l'un des phares de la capitale. Autrefois, elle comptait une trentaine de moulins, utilisés pour moudre le blé et les fleurs ou pour presser les raisins. Certains se sont transformés en salles de bal où étaient servies des galettes de seigle chaudes. L'un d'entre eux, le Moulin de la Galette deviendra célèbre sous le pinceau de Renoir.

Le sais-tu ?
Le campanile du Sacré-Cœur abrite l'une des plus grosses cloches du monde. Surnommée la « Savoyarde », car elle a été offerte par 4 diocèses de Savoie, elle pèse près de 19 tonnes et son diamètre dépasse 3 m. Tirée par 28 chevaux, elle a été hissée à grand peine sur la butte en 1895.

Le Sacré-Cœur [XIX]
Dominant Paris de sa singulière silhouette blanche, cette basilique a été élevée sur la plus haute butte de la capitale en expiation des « horreurs » de la Commune et du siège de Paris par les Prussiens en 1870. Les travaux sont délicats : des puits d'une trentaine de mètres sont creusés et comblés de béton pour que le monument ne s'affaisse pas dans le sol, fragilisé par d'anciennes carrières de gypse. Financé par toutes les paroisses de France, le lieu de culte est construit avec une roche calcaire qui au contact de la pluie devient parfaitement blanc. Symbole de Paris, le Sacré-Cœur est un lieu de pèlerinage et le deuxième monument le plus visité de la capitale après Notre-Dame.

Les coupoles sont dominées par le dôme et le campanile qui culmine à 80 m.

@ Montmartre

Dans le dôme, deux galeries accessibles au public permettent d'admirer la décoration intérieure de la basilique et un extraordinaire panorama sur Paris.

Contre une souscription de 300 francs, les initiales de chaque donateur étaient gravées dans une des pierres de la basilique.

Saint-Pierre de Montmartre, consacrée par le pape Eugène III en 1147, est une autre église sur la butte, seul vestige d'une abbaye royale.

Le Lapin Agile

Au début du xxe siècle, le pittoresque « père Frédé », gérant du Lapin Agile, anime de folles soirées en chantant ses propres créations au son de sa guitare et de son violoncelle. Extraordinaire personnage, il fait de son cabaret le temple des chansonniers et des artistes de la bohème montmartroise comme Apollinaire, Renoir, Utrillo, Braque, Modigliani ou Picasso. Tous jouent, récitent, déclament et reprennent en chœur les chansons populaires ou leurs propres œuvres. Avant de s'appeler le Lapin Agile, le lieu a porté le nom de Cabaret des Assassins car il était décoré de nombreuses toiles représentant des meurtriers célèbres comme Ravaillac.

L'enseigne originale du cabaret est conservée au musée de Montmartre.

Vers 1880, le caricaturiste André Gill dessine un lapin bondissant pour servir d'enseigne au cabaret « Le Rendez-vous des assassins ». Par jeu de mots, le lieu a été surnommé le « Lapin à Gill » puis le « Lapin Agile » !

Le vol de Gambetta

Pour fuir les Prussiens qui assiègent Paris et rejoindre une délégation du gouvernement réfugié à Tours, le ministre de l'Intérieur Léon Gambetta quitte le 7 octobre 1870 la place Saint-Pierre dans le ballon Armand Barbès. Avec le pilote et son collaborateur Eugène Spuller, ils survolent les défenses allemandes noyées dans le brouillard et prennent de l'altitude en jetant, en guise de lest, des tracts rédigés par Victor Hugo ! ! Arrivé à destination, Léon Gambetta prend en charge les ministères de la Guerre et de l'Intérieur pour former de nouvelles armées. Bientôt, Tours étant menacée, la délégation se retire à Bordeaux, mais, le 20 janvier 1871, la situation est désespérée : Paris a capitulé !

Le ballon de Gambetta sera touché à deux reprises par les tirs prussiens.

Pour gagner le point culminant de Paris à 130 m d'altitude, il faut gravir environ 220 marches d'escalier ou prendre le funiculaire !

Les escaliers de Montmartre

Village de Paris, Montmartre offre un décor pittoresque avec ses escaliers escarpés, ses ruelles tortueuses, ses ateliers d'artistes et ses maisons cachées au fond d'impasses paisibles. Pour relier la place Saint-Pierre à la rue Lamarck, un funiculaire à contrepoids d'eau est inauguré en 1901. Entièrement rénové en 1935 puis en 1991, ce transport en commun original gravit les trente-six mètres de dénivelé en moins d'une minute trente. Des dizaines d'escaliers gravissent ou dévalent Montmartre. Le plus impressionnant est celui qui longue le funiculaire : il compte trois tronçons de 24 marches et six de 25 soit un total de 222 marches.

Les gares

Au début du XXe siècle, Paris était desservi par sept gares : Saint-Lazare, Austerlitz, Montparnasse, Nord, Est, Lyon et Orsay, avant que cette dernière ne soit transformée en musée. Construites le plus souvent à la périphérie de la capitale, elles sont aujourd'hui pleinement intégrées aux quartiers du centre. Véritables portes vers la province ou la banlieue, fréquentées par des millions de voyageurs chaque jour, elles sont aussi des lieux de vie avec leurs commerces.

Lors de la mise en service du TGV Atlantique en 1990, la gare est décorée d'une façade en verre appelée la « porte Océane ».

LA GARE MONTPARNASSE [XIX]
Construite en 1840 à l'emplacement de l'actuelle tour Montparnasse, la gare a été déplacée de quelques centaines de mètres au milieu des années 1960 pour devenir la quatrième de Paris par son trafic, environ 50 millions de voyageurs par an. A la fin du XIXe siècle, elle a accueilli de nombreux Bretons qui se sont installés dans le quartier.

En 1877, Claude Monet s'installe dans la gare Saint-Lazare car il veut représenter de manière presque abstraite les effets changeant de la lumière et des nuages de vapeur.

LA GARE DES PEINTRES
Bâtie au milieu du XIXe siècle pour accueillir les passagers de la ligne Paris-Saint-Germain-en-Laye, premier réseau de voyageurs en France, la gare Saint-Lazare est agrandie en vue de l'exposition de 1889 par Juste Lisch qui unit avec talent le verre aux armatures métalliques. Sésame vers les destinations de l'Ouest chères aux impressionnistes, elle a largement inspiré les peintres. Monet réalise une douzaine de toiles du hall gigantesque, Caillebotte et Manet représentent le pont de l'Europe qui surplombe les rails, et Pissarro retranscrit l'activité de la cour du Havre.

LA GARE D'AUSTERLITZ
Le 2 mai 1843, la ligne de chemin de fer de Paris à Orléans est inaugurée. Le flot des voyageurs implique dès 1865 une restructuration menée par l'architecte Pierre-Louis Renaud qui conçoit cette extraordinaire verrière et une grande halle métallique de 280 m sur 51,25 m. La gare d'Austerlitz est aujourd'hui la moins fréquentée des gares parisiennes avec moins de 30 millions de passagers par an.

Pendant le siège de Paris (1870), l'immense hall de la gare a servi d'atelier de fabrication de montgolfières.

LA GARE DE L'EST [XIX]

Cinquième de Paris pour le trafic avec 35 millions de voyageurs par an, la gare de l'Est n'a cessé de s'agrandir depuis sa première construction au milieu du XIXe siècle. Tournée vers l'Allemagne, elle a vu passer les mobilisés lors des deux guerres mondiales mais aussi les déportés à destination de Drancy et des camps nazis.

Offert par le peintre américain Albert Herter, « en souvenir de son fils mort » devant l'ennemi en 1918, Le départ des poilus - Août 1914 *est accroché dans le hall des grandes lignes.*

LA GARE DE LYON [XIX]

Bâtie à la fin du XIXe siècle par l'architecte Marius Toudoire, agrandie en 1927, elle est construite sur une butte pour se protéger des inondations de la Seine. Troisième par son trafic avec près de 80 millions de voyageurs par an, cette gare monumentale abrite au premier étage un restaurant prestigieux, Le Train bleu, dont le décor Belle Epoque évoque les villes desservies.

La gare du Nord gère 1 500 circulations de trains par jour, ce qui est le record de France.

@ Gare

LA GARE DU NORD [XIX]

Transformée plusieurs fois pour répondre à l'afflux des voyageurs, cette gare monumentale est ouverte sur la banlieue, la province et les destinations internationales avec ses trains à grande vitesse ultramodernes Thalys et Eurostar. Première gare d'Europe en trafic, elle accueille 190 millions de voyageurs par an.

La gare de Lyon est dominée par une tour de 63 m de haut dotée de 4 horloges dont les aiguilles des minutes mesurent 3 m !

La Villette et les Buttes-Chaumont

Paradis de la boucherie devenu sanctuaire de la science et de la culture, la Villette a été restructurée à la fin du XXe siècle. Les halles aux bestiaux ont été remplacées par des temples du savoir. La cité du sang s'est transformé en cité des Sciences. À quelques encablures, le décor est resté parfaitement identique depuis près de 150 ans. Soigneusement paysagé, le parc des Buttes-Chaumont a conservé la magie romantique imaginée par ses créateurs.

La Villette

Le sais-tu ?
Creusé au début du XIXe siècle pour alimenter la capitale en eau, le canal de l'Ourcq divise le parc de la Villette en deux parties : au nord, les bâtiments liés à la vulgarisation scientifique et, au sud, la Cité de la musique, la Grande Halle et le Zénith.

Chaque année, le parc reçoit plus de 3 millions de visiteurs sur ses 24,7 hectares.

Le parc des Buttes-Chaumont [XIX]
Troisième espace vert de Paris par sa taille, le parc a été aménagé en 1866-1867 sur une ancienne carrière de gypse devenue l'un des sites les plus mal famés de Paris. Métamorphosant ce lieu sinistre, repaire des truands de la capitale, le paysagiste Alphand fait jaillir un lac, des cascades, des rivières et une grotte décorée de stalactites géantes.

Ouverte en 1986, la Cité des sciences et de l'industrie reçoit plus de 3 millions de visiteurs chaque année.

LA CITÉ DES SCIENCES ET DE L'INDUSTRIE ⊙

Réparti sur 5 niveaux, ce complexe de 100 000 m² organise en permanence des expositions, des spectacles et des animations. Devant sa façade, la Géode est un dôme extraordinaire de 36 m de diamètre à la paroi réfléchissante. Sa partie supérieure abrite une salle de cinéma dont les 400 sièges sont inclinables et où l'écran hémisphérique de 1 000 m² place les spectateurs au cœur des images.

LA GRANDE HALLE [XIX]

Unique vestige des trois halles aux bestiaux, elle offre sa superficie de 20 000 m² aux manifestations culturelles, spectacles et salons. La fontaine aux Lions de Nubie a été installée en 1867 face à cet immense monument de verre et de fonte. Elle ornait auparavant la place du Château-d'Eau – aujourd'hui place de la République – et a été déplacée à la Villette pour servir d'abreuvoir au bétail !

LES BOUCHERS DE LA VILLETTE

A partir de 1865, les dizaines d'abattoirs et de marchés aux bestiaux de Paris sont déplacés sur le site de la Villette dans un souci d'assainissement de la capitale. Près de 12 000 bouchers y exercent leur métier, dépeçant chaque jour, au début du XXe siècle, 23 000 moutons et 5 000 bovins !

La Bastille

Marqué à jamais par la Révolution de 1789, cette vaste place est aussi l'un des lieux majeurs des journées d'émeutes qui embrasèrent Paris en 1830 et 1848. Trait d'union entre le Marais et le faubourg Saint-Antoine, elle était autrefois occupée par la porte Saint-Antoine, passage obligé vers les résidences royales de l'est de Paris comme Vincennes. Longtemps peuplé d'artisans et d'ouvriers, le quartier de la Bastille se transforme avec l'installation de galeries d'artistes, de boutiques et de bars à la mode.

Au sommet, le Génie de la Liberté en bronze doré, œuvre d'Auguste Dumont, tient dans la main droite un flambeau et dans la gauche les chaînes brisées du despotisme.

La colonne de Juillet [XIX]

En 1833, Louis-Philippe fait élever une colonne en bronze au centre de la place en l'honneur des révolutionnaires morts lors des Trois Glorieuses, les journées qui ont marqué la révolution de 1830 qui renversa Charles X. Haut de 23 m, le fût de la colonne porte en lettres d'or les noms des 615 combattants morts en juillet 1830. Ils seront rejoints par les victimes de la révolution de 1848.

Le sais-tu ?

Sous la colonne, une galerie funéraire abrite aussi des momies égyptiennes ! Rapportées par les savants de la campagne d'Egypte menée de 1798 à 1801, ces dépouilles avaient été enfouies dans le jardin de la Bibliothèque nationale où elles ont été mélangées aux corps des révolutionnaires !

Le viaduc des Arts

Construit en 1859 pour la voie de chemin de fer reliant la Bastille à La Varennes-Saint-Maur, cet immense pont de briques roses et de pierres de taille désaffecté en 1969 a été entièrement rénové dans les années 1990. Ses voûtes abritent un ensemble d'ateliers des métiers d'art et son tablier est aménagé en promenade plantée qui court sur 4,5 km à travers le 12e arrondissement. Les promeneurs flânent à mi-hauteur des immeubles au milieu des parfums et des couleurs changeantes des tilleuls, noisetiers, rosiers ou plantes aromatiques dans une ambiance très étrange. Les plus curieux découvrent des détails architecturaux imperceptibles pour les passants à hauteur de trottoir !

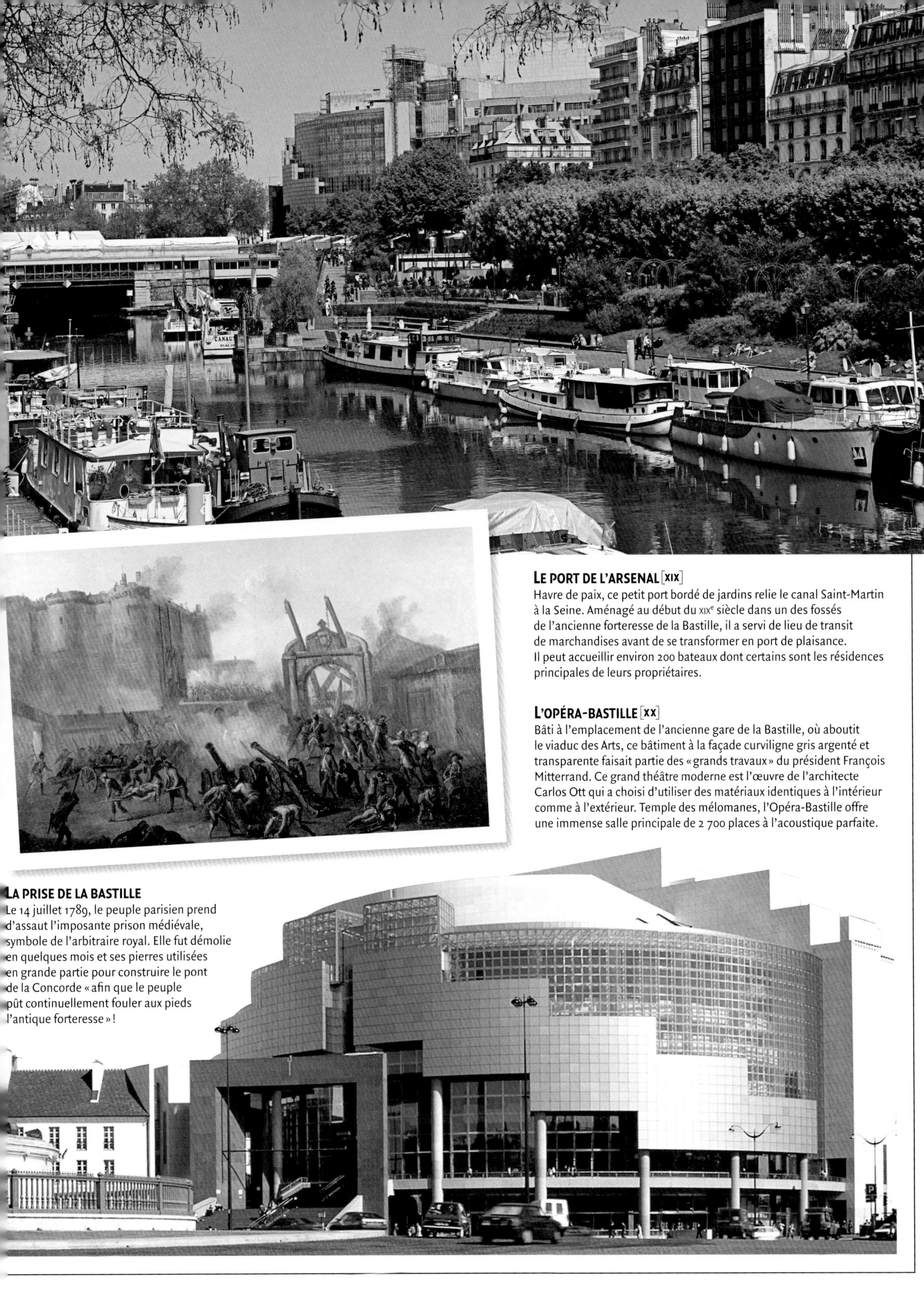

LE PORT DE L'ARSENAL [XIX]
Havre de paix, ce petit port bordé de jardins relie le canal Saint-Martin à la Seine. Aménagé au début du XIXe siècle dans un des fossés de l'ancienne forteresse de la Bastille, il a servi de lieu de transit de marchandises avant de se transformer en port de plaisance. Il peut accueillir environ 200 bateaux dont certains sont les résidences principales de leurs propriétaires.

L'OPÉRA-BASTILLE [XX]
Bâti à l'emplacement de l'ancienne gare de la Bastille, où aboutit le viaduc des Arts, ce bâtiment à la façade curviligne gris argenté et transparente faisait partie des « grands travaux » du président François Mitterrand. Ce grand théâtre moderne est l'œuvre de l'architecte Carlos Ott qui a choisi d'utiliser des matériaux identiques à l'intérieur comme à l'extérieur. Temple des mélomanes, l'Opéra-Bastille offre une immense salle principale de 2 700 places à l'acoustique parfaite.

LA PRISE DE LA BASTILLE
Le 14 juillet 1789, le peuple parisien prend d'assaut l'imposante prison médiévale, symbole de l'arbitraire royal. Elle fut démolie en quelques mois et ses pierres utilisées en grande partie pour construire le pont de la Concorde « afin que le peuple pût continuellement fouler aux pieds l'antique forteresse » !

Dans l'est de Paris

De la place de la République au cimetière du Père-Lachaise, la capitale offre des visages bien différents. Lieu des grandes manifestations et célébrations politiques, charmantes artères aquatiques, insolite cirque de pierres, vaste cité de tombes, village populaire de Ménilmontant ou nouveau parc de Belleville, chaque vestige du passé ou création contemporaine participe à la singularité du quartier.

VIVE LA RÉPUBLIQUE ! 

Revenu au pouvoir à la suite de la crise du 13 mai 1958, le général de Gaulle prononce un discours place de la République, le 4 septembre, anniversaire de la proclamation de la IIIe République. Dans une mise en scène très théâtrale, sous la gigantesque statue de Marianne, le dernier président du Conseil de la IVe République présente le projet de Constitution que le gouvernement vient d'accepter et qui sera soumis au peuple français le 28 septembre. La statue colossale en bronze de 9,50 m de haut avait été inaugurée le 14 juillet 1883.

LE CANAL SAINT-MARTIN [XIX]

Long de 4,5 km, le canal inauguré en 1825 relie le bassin de l'Arsenal au bassin de la Villette. Cette charmante voie d'eau comporte 2 ponts mobiles en acier ainsi que 9 écluses qui permettent aux bateaux de franchir un dénivelé de 25 m sur l'ensemble du parcours.

LE SAIS-TU ?

Ouvert en 1804, le cimetière du Père-Lachaise s'étend sur 44 hectares, ombragés de 5 300 arbres. Plus d'un million de personnes y ont été inhumées à ce jour dont 1 018 combattants de la Commune entassés dans les fosses creusées près du mur des Fédérés mais aussi, parmi mille célébrités, Frédéric Chopin, Honoré de Balzac, Oscar Wilde ou Jim Morrison.

Musée en plein air de l'art funéraire, la nécropole abrite des tombes de tous les styles qui forment des quartiers de mausolées souvent très pittoresques.

LE CIRQUE D'HIVER [XIX]

Inauguré en 1852 sous le nom de cirque Napoléon, ce bâtiment a été construit en trois mois par Jacques Hittorff à l'initiative de Louis Dejean, propriétaire du cirque d'été bâti dans les jardins des Champs-Elysées. Polygone à vingt côtés, d'un diamètre de 42 m, il pouvait recevoir 4 000 personnes à l'origine, mais sa capacité est désormais réduite de moitié pour des raisons de sécurité. Initialement dédié à l'art équestre, ce temple des arts de la piste a accueilli un cinéma, des spectacles nautiques, des tours de chant, des fantaisistes, des défilés de mode et même des meetings politiques. Mais c'est le cirque qui règne en maître dans ce lieu mythique, propriété de la famille Bouglione depuis 1934.

Deux statues équestres, une amazone et un guerrier, gardent l'entrée et rappellent la vocation initiale du bâtiment.

LE PARC DE BELLEVILLE [XX]

D'une superficie de 45 000 m, cet écrin de verdure est situé à mi-chemin entre le parc des Buttes-Chaumont et le cimetière du Père-Lachaise. nauguré en 1988, le parc de Belleville, d'où la vue panoramique sur Paris est époustouflante, abrite 1 200 arbres et arbustes ainsi que quelques pieds de vigne. A la belle saison, les visiteurs peuvent se rafraîchir près de l'une des plus grandes fontaines en cascade de la capitale, qui dévale la colline sur plus de 100 m de long.

Entre le XIVe et le XIXe siècle, la colline de Belleville abritait de nombreuses tavernes et guinguettes comme « Le Coq hardi » ou « La Carotte filandreuse » !

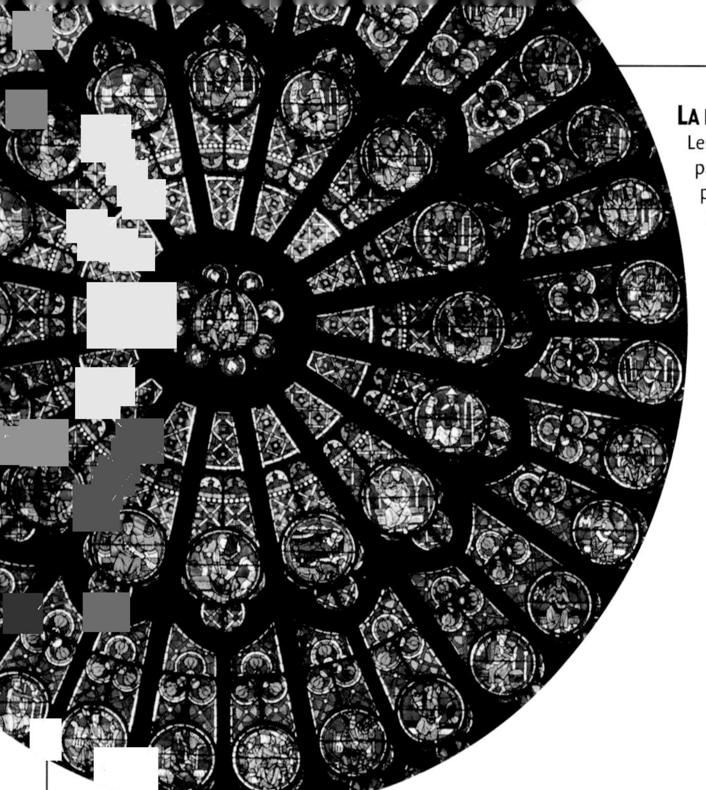

LA ROSACE NORD

Les trois rosaces de la cathédrale Notre-Dame de Paris font partie des chefs-d'œuvre de l'art gothique. Commandée par le roi Saint Louis, la rosace nord a été érigée en 1270. Personnages centraux du *Nouveau Testament*, la Vierge Marie et l'Enfant Jésus ont été placés au cœur d'une surface de 12 m de diamètre. Ils sont entourés par 80 médaillons représentant les prophètes, les rois et les grands prêtres.

Notre-Dame

Joyau de l'île de la Cité, la cathédrale gothique dédiée à la Vierge a été entreprise par l'évêque Maurice de Sully en 1163, achevée en 1345 et largement restaurée au XIXe siècle par l'architecte Viollet-le-Duc. Ses 29 chapelles autour de la nef, ses centaines de statues et vitraux qui illustrent l'histoire sainte en font un monument très populaire, visité par près de 30 000 personnes chaque jour.

Imaginée par Viollet-le-Duc, la flèche a remplac[é] le clocher vers 1860.

La charpente est form[ée] de 1 300 chênes.

La flèche domine les statues des douze apôtres. Viollet-le-Duc s'est fait représenter sous les traits de saint Thomas avec son équerre.

Le chœur était autrefois réservé aux chanoines pour les offices.

La rosace nord surplombe le portail du cloître.

Les stalles de bois sculptées ont été installées au XVIIIe siècle : les deux plus belles étaient réservées à l'évêque et à ses hôtes.

LE SAIS-TU ?

Devant l'entrée monumentale de Notre-Dame, une petite dalle de bronze scellée au milieu de la place indique le kilomètre zéro des routes de France, désignant le monument comme le cœur de la capitale. Les distances entre Paris et les autres lieux se calculent en effet par rapport à cet endroit précis.

GARGOUILLES OU CHIMÈRES ?

Grotesques, fantastiques, animales ou humaines, ces étranges statues forment un incroyable peuple de pierre au sommet de Notre-Dame. Les gargouilles sont placées à l'extrémité des gouttières pour évacuer l'eau de pluie de la toiture sans abîmer les décorations de la cathédrale. Elles faisaient déjà partie de la cathédrale originale avant sa restauration au XIXe siècle. Assises sur les galeries ou disposées sur la façade, les chimères, sorties tout droit de l'imagination de Viollet-le-Duc, semblent contempler les passants et scruter Paris. Elles ont une vocation exclusivement décorative.

La nef
Longue de 60 m et comptant dix travées, la nef de Notre-Dame s'élève sur trois niveaux à 43 m sous son plafond. Large de 13 m, elle est bordée de doubles bas-côtés et de 14 chapelles.

Les îles

Premier site du peuplement, centre de l'antique Lutèce, l'île de la Cité est longtemps restée le siège des pouvoirs civil et religieux de la capitale. Située en amont, l'île Saint-Louis est née de l'union au XVIIe siècle de l'îlot aux vaches, simple champ de pâturages, et de l'île Notre-Dame. Avec l'île des Cygnes, entièrement artificielle, elles forment un minuscule archipel sur la Seine.

PLACE DAUPHINE [XVII]
Aménagée en 1607 à l'emplacement du jardin du palais de la Cité, cette place royale a été baptisée en l'honneur du dauphin, le futur roi Louis XIII. Son plan triangulaire a été choisi pour s'adapter à la pointe de l'île.

VITRAIL DE LA SAINTE-CHAPELLE [XIII
Joyau de l'art gothique, elle est construite à la demande de Saint Louis entre 1242 et 1248 pour servir d'écrin à la couronne d'épines du Christ achetée aux Vénitiens quelques années plus tôt. L'édifice est formé de 2 chapelles superposées dont les vitraux illustrent plus de mille scènes religieuses.

Le pont Sully, inauguré en 1877, fabriqué en fonte, relie les deux rives de la Seine en s'appuyant sur la pointe de l'île Saint-Louis.

L'ÎLE SAINT-LOUIS [XVIII]

D'une superficie de 11 ha, l'île Saint-Louis est devenue un modèle de l'urbanisme classique au XVIIe siècle avec ses somptueux bâtiments édifiés en grande partie par l'architecte Louis Le Vau. Le long du quai d'Anjou, l'hôtel Lambert avait été commandité par le fortuné Nicolas Lambert, président à la Chambre des comptes et propriétaire de 14 autres maisons dans l'île ! Le Vau édifia aussi son propre hôtel.

LA POINTE DU VERT-GALANT

A l'extrémité de l'île de la Cité, non loin du vénérable Pont-Neuf, la pointe du Vert-Galant semble fendre les eaux de la Seine comme l'étrave d'un bateau. Après avoir admiré les hôtels particuliers ou les bâtiments publics qui bordent le fleuve, les promeneurs viennent y contempler un panorama exceptionnel et une partie des 37 ponts de la capitale.

Le square et la pointe du Vert-Galant rendent hommage à Henri IV, le roi bâtisseur dont une statue équestre domine les lieux.

LE 36 QUAI DES ORFÈVRES

Immortalisé dans de nombreux films, le 36 quai des Orfèvres est le site historique de la police judiciaire de la préfecture de police de Paris. Seigneurs de la pègre et grands flics ont écrit dans ce bâtiment de l'île de la Cité les plus belles pages de l'histoire criminelle et inspiré la fiction. C'est ainsi que Simenon a créé le mythique commissaire Maigret, à partir d'une figure du « 36 », le commissaire Guillaume.

Du côté de l'Académie

En déambulant sur les quais et dans les rues de Saint-Germain-des-Prés, les promeneurs voyagent en quelques pas à travers les mondes des arts, des lettres et des plaisirs. L'Institut de France, les écoles, les maisons d'édition, les antiquaires en font un sanctuaire de la culture. Mais ce quartier privilégié offre aussi une atmosphère unique avec ses célèbres cafés où se donnaient rendez-vous les intellectuels et artistes des années cinquante.

L'INONDATION DE 1910
A la suite d'une forte pluviosité, Paris connait une crue exceptionnelle de plus de 8 m entre le 20 et le 28 janvier 1910. La moitié de la capitale est inondée, le métro est submergé, les égouts saturés et plusieurs centaines de milliers de parisiens sont sinistrés. Les précédentes crues comparables avaient eu lieu en 1658 et en 1740.

La terrasse des Deux-Magots, au pied du clocher de Saint-Germain-des-Prés, place Sartre-Beauvoir.

SAINT-GERMAIN-DES-PRÉS
Dominés par l'église de Saint-Germain-des-Prés, vestige de l'imposante abbaye dévastée sous la Révolution, les cafés germanopratins sont de véritables institutions. Après la Libération de Paris, ils ont participé à l'effervescence du quartier, très prisé pour sa vie nocturne et ses caves de jazzmen. Aujourd'hui, les clients du café de Flore y cherchent le souvenir d'Apollinaire, Sartre ou Camus et ceux des Deux-Magots, les ombres de Picasso ou d'Hemingway.

La taille des boîtes ne doit pas dépasser 1,20 m de haut, auvent ouvert.

LE SAIS-TU ?
Légalisée depuis 1859, la profession de bouquiniste est très réglementée et nécessite une autorisation valable uniquement un an. Chacun d'entre eux a le droit de présenter ses marchandises sur 8,20 m de trottoir

CINQ ACADÉMIES [XVII]

L'Institut de France siège depuis 1805 dans les bâtiments du collège des Quatre-Nations, construit sur un plan de Le Vau de 1662 à 1688. Il est formé de l'Académie française, l'Académie des inscriptions et belles-lettres, l'Académie des sciences, l'Académie des beaux-arts et l'Académie des sciences morales et politiques.

LE PONT DES ARTS [XX]

Reconstruite au début des années 1980, à l'emplacement du premier pont métallique de Paris édifié entre 1801 et 1804, la passerelle relie l'Institut de France à la cour Carrée du Louvre. Il doit son nom à ce dernier, surnommé le « palais des Arts » sous le premier Empire.

Vers Montparnasse

Ce quartier doit son nom au mont Parnasse, résidence des Muses de la mythologie grecque car des étudiants venaient y déclamer des vers au XVIIe siècle. Il connaît son apogée dans les années 1920 en devenant le foyer de la vie artistique et intellectuelle de Paris. Les artistes quittent Montmartre pour Montparnasse où ils trouvent une atmosphère créative, des ateliers et des cafés bon marché. Quartier de bureaux et de passage le jour, de cafés et de restaurants le soir, Montparnasse montre aujourd'hui deux visages.

LE SAIS-TU ?
Edifié entre 1668 et 1672 sur les plans de Claude Perrault, l'Observatoire est le plus ancien centre astronomique mondial en activité et reste l'un des plus prestigieux. Ses 4 façades sont orientées avec précision vers les quatre points cardinaux

LA COUPOLE 
Ancien dépôt de bois et charbon, la Coupole devient la plus grande brasserie de Paris à la fin des années 1920. Kessel, Hemingway, Picasso, Joséphine Baker, Simone de Beauvoir ou Jean-Paul Sartre y passent de folles soirées, accoudés au bar de l'immense salle de 1 000 m² ou dans le dancing du sous-sol, aujourd'hui encore très populaire.

LE PALAIS DU SÉNAT [XVII]
Construit par Marie de Médicis à partir de 1615 pour se rappeler le palais et le jardin Boboli de son enfance à Florence, puis prison sous la terreur, siège des assemblées révolutionnaires, le palais du Luxembourg est le siège du Sénat depuis 1799. Non loin, le musée du Luxembourg est le premier musée français ouvert au public (1750).

Du temps de Marie de Médicis, le palais du Luxembourg abritait 24 tableaux de Rubens retraçant la vie de la régente qui sont maintenant conservés au Louvre.

UNE GÉANTE DANS PARIS [XX]

Construite entre 1969 et 1973 et longtemps décriée, la tour Montparnasse est le seul véritable gratte-ciel de Paris. En acier et verre fumé, cette gigantesque tour de 210 m de haut et de 59 étages domine toute la capitale. Elle abrite l'ascenseur le plus rapide d'Europe qui transporte les visiteurs au 56e étage, à 196 m d'altitude en 38 secondes. Par beau temps, la banlieue de Paris est visible depuis son belvédère panoramique à 360 °C jusqu'à 40 km !

LA FONDATION CARTIER [XX]

nstallé boulevard Raspail depuis 1994 dans un bâtiment aérien de verre et de métal conçu par l'architecte Jean Nouvel, la fondation Cartier organise des expositions de création contemporaine dans ses salles sur une surface de 1 200 m². Vitres ou miroirs selon les heures du jour ou de la nuit, les parois de verre de la fondation laissent apparaître les œuvres exposées ou réfléchissent les lumières de la ville. Un cèdre du Liban, planté par Chateaubriand en 1823 alors qu'il était propriétaire du terrain, semble veiller sur l'entrée du bâtiment.

LE VAL-DE-GRÂCE [XVII]

Épouse de Louis XIII, la reine Anne d'Autriche avait fait le vœu d'élever un temple magnifique à Dieu s'il lui accordait un fils. Son souhait ardent ne fut exaucé que 23 ans plus tard. Le 1er avril 1645, le jeune roi Louis XIV posa la première pierre du bâtiment conçu par François Mansart. Son dôme, inspiré par celui de Saint-Pierre de Rome, mesure 41 m de haut et 19 m de diamètre. En 1793, le couvent du Val-de-Grâce fut transformé en hôpital militaire, ce qu'il est toujours.

Autour du Panthéon

Marqué par la tradition universitaire depuis la fondation de la Sorbonne au XIIIe siècle, le quartier du Panthéon est l'un des plus animés et des plus fréquentés de la capitale. Entre le boulevard Saint-Michel et la gare d'Austerlitz, du Quartier latin au Jardin des Plantes, le promeneur peut découvrir des monuments et des lieux aussi différents que l'Institut du monde arabe (IMA), le musée de Cluny, consacré au Moyen Âge, la pittoresque rue Mouffetard ou les allées du Jardin des Plantes.

"TROP TARD CRS

LE MOUVEMENT POPULAIR

N'A PAS DE TEMPLE

LA MAISON DES GRANDS HOMMES [XVIII]
Edifiée par Germain Soufflot à partir de 1764, achevée par J.-B. Rondelet vers 1790, cette église à dôme néoclassique était dédiée à l'origine à sainte Geneviève. Elle est devenue depuis la Révolution un temple destiné à recevoir dans sa crypte les sépultures des grands hommes. Le 31 juillet 1936, le président du Conseil du Front populaire Léon Blum, nouvellement élu, rend hommage à Jean Jaurès, devant le Panthéon qui abrite depuis 1924 le corps de cette figure du socialisme pacifique, assassinée en août 1914.

LA SORBONNE AU CŒUR DES ÉVÉNEMENTS DE MAI 1968 [XVII]
Collège fondé en 1253 par Robert de Sorbon, confesseur de Saint Louis, la Sorbonne devient une faculté de théologie, puis une des universités les plus renommées dans l'Europe médiévale. Au XVIIe siècle, les bâtiments sont largement rénovés par le cardinal de Richelieu dans un style classique. Le nouveau collège est alors doté d'une monumentale chapelle couronnée d'une coupole et destinée à recevoir le tombeau du cardinal. En mai 1968, la police fait évacuer de force la Sorbonne occupée par les étudiants. Trois jours plus tard, le quartier se couvre de barricades.

LE SAIS-TU ?
Inauguré en 1990, l'Institut est consacré à la connaissance et à la compréhension de la culture arabe. Conçu par Jean Nouvel, ce bâtiment de verre et d'aluminium allie les conceptions architecturales orientale et occidentale dans une incroyable modernité. La façade sud est recouverte de moucharabiehs, dispositif de ventilation naturelle. Le bâtiment compte aussi un ryad, belle cour intérieure, et une ziggourat, haute tour dédiée aux livres.

LE MUSÉE DE CLUNY [XV]

Fondé en 1843, le musée national du Moyen Âge est installé dans deux des plus vieux monuments de Paris : les vestiges des thermes, anciens bains publics gallo-romains, construits vers l'an 200 et l'hôtel des abbés de Cluny, édifié dans un style gothique à la fin du XVe siècle. Riches et puissants seigneurs, les abbés de Bourgogne souhaitaient posséder une demeure près de la Sorbonne où leurs jeunes moines se formaient à la théologie. Le musée permet d'admirer 23 000 œuvres d'art dont la célèbre tapisserie de *La Dame à la licorne* datant de la fin du XVe siècle.

LE MUSÉUM D'HISTOIRE NATURELLE ET LE JARDIN DES PLANTES

Héritier du Jardin royal des plantes médicinales créé par Louis XIII en 1635, le Jardin des Plantes est aujourd'hui un lieu d'enseignement des sciences naturelles et un laboratoire de recherche. Conservatoire de la nature sur 28 hectares, il abrite ses collections dans de somptueuses galeries. Les plus extraordinaires sont la ménagerie, créée en 1794, plus ancien parc zoologique du monde encore en activité ou la Grande Galerie de l'Évolution, conçue par les architectes Paul Chemetov et Borja Huidobro en 1994. Elle met en scène des milliers de spécimens d'animaux, installés dans un espace de 6 000 m² à l'éclairage changeant.

LA GRANDE MOSQUÉE DE PARIS [XX]

Lieu de culte et écrin de verdure au cœur de la capitale, la mosquée de Paris est la plus grande de France. Elle a été construite par des artistes, artisans et architectes maghrébins (Heubès, Fournez ou Mantout) entre 1922 et 1926 pour rendre hommage aux musulmans venus des colonies d'Afrique du Nord morts pour la France pendant la Première Guerre mondiale.

@ Quartier latin

Près de Bercy

Entièrement transformé à partir des années 1980, le Nouvel Est parisien a vu surgir de part et d'autre de la Seine un palais omnisports, le nouveau ministère de l'Économie et des Finances, les modernes Cinémathèque et Bibliothèque nationale de France ainsi que des jardins, une piscine et une passerelle futuriste. En mutation permanente, le quartier a déjà changé plusieurs fois de visages.

Les fûts étaient acheminés par la Seine et le vin mis en bouteille dans d'immenses entrepôts.

Le marché aux vins

Situé en dehors de Paris, dans une zone non soumise aux taxes sur le vin, Bercy attire de nombreux négociants dans la seconde partie du XIXe siècle. Bientôt, leurs magasins, entrepôts et caves s'étendent sur 43 hectares. Bercy devient le plus grand marché vinicole du monde et les guinguettes se multiplient à ses portes.

Le musée des Arts forains

Abrité dans une ancienne halle aux vins, il expose des milliers de jeux, manèges et attractions qui retracent l'histoire de la fête foraine depuis 1850. Il témoigne aussi de l'architecture industrielle du XIXe siècle avec ses voûtes de briques et ses belles structures métalliques intérieures.

En forme de livres ouverts, les quatre tours encadrent un jardin de plus d'un hectare, planté de pins parasols.

La Très Grande Bibliothèque [XX]

Temple du savoir et de la culture dessiné par l'architecte Dominique Perrault, la bibliothèque François Mitterrand a été inaugurée en 1995. Ses salles de lecture du premier niveau sont ouvertes au public alors que celles du rez-de-jardin sont réservées aux chercheurs. Hautes de 79 m, ses tours abritent sept étages de bureaux et onze étages de magasins où sont stockés les livres.

Le POPB [xx]

Encadré par le parc de Bercy et le ministère des Finances, le Palais omnisports de Paris-Bercy a été inauguré en 1984. En forme de pyramide, il peut accueillir de 3 500 à 17 000 personnes selon la configuration de son espace modulable. Chaque année 150 événements, compétitions sportives, concerts ou spectacles sont organisés dans cette immense salle qui a déjà reçu 25 millions de spectateurs depuis sa création.

Recouvertes d'herbe naturelle, les parois du bâtiment sont inclinées à 45°.

Sur la rive droite, le ministère des Finances est installé depuis 1988 dans une immense barre de 300 m de long, construite perpendiculairement à la Seine.

Le sais-tu ?

Située au pied de la passerelle Simone-de-Beauvoir et arrimée au quai de la Seine rive gauche, la piscine flottante Joséphine Baker se couvre et se découvre au gré de la météo grâce à son toit coulissant. Ouverte en 2006, elle est posée sur vingt flotteurs métalliques.

Un lézard branché

Entre la gare d'Austerlitz et la bibliothèque François-Mitterrand, les anciens bâtiments des Magasins généraux ont été métamorphosés en Cité de la mode et du design. Ouverte en 2011, elle accueille sur ses trois niveaux un institut de formation, un espace événementiel pour des expositions et manifestations, une librairie et des commerces.

La structure en béton a été habillée d'une façade-passerelle métallique vert pomme en forme de lézard.

Un métro monumental

Après Londres (1863), New York (1867) ou Budapest (1896), Paris se dote d'un métro pour l'Exposition universelle de 1900. Plus que centenaire, la première ligne, Porte Maillot-Porte de Vincennes, reste la plus fréquentée. Le réseau parisien est aujourd'hui l'un des plus denses du monde : aucun lieu de la capitale n'est à plus de 500 m d'une station. Il accueille près de 1, 4 milliard de voyageurs par an, sur ses 213 km de lignes.

UNE CONSTRUCTION SPECTACULAIRE
Entre 1898 et 1914, Paris n'est qu'un vaste chantier. Pour construire le métro, des milliers de mètres cubes de terre sont évacués chaque jour par la Seine ou parfois par les tramways. La ligne 4 est la première à relier les rives de la Seine par une traversée sous-fluviale, occasionnant des travaux spectaculaires. Plusieurs caissons préfabriqués sont enfouis à 20 m de profondeur pour passer sous l'eau. Ils sont ensuite reliés entre eux pour constituer un tunnel de plus d'1 km entre les stations Cité et Saint-Michel.

LES ATELIERS
Chaque ligne du métro dispose de garages souterrains et d'un dépôt, situé généralement aux terminus, pour garer et entretenir les rames. Des stations désaffectées sont réservées à la formation des conducteurs.

Après les premières entrées Art nouveau de Hector Guimard en fonte moulurée, toutes sortes de candélabres se sont succédé et subsistent encore pour signaler les bouches de métro. Ce mât se trouve sur les Champs-Elysées à la station Franklin-D.-Roosevelt.

VISAGES DE STATIONS

A l'origine, toutes les stations étaient recouvertes de petits carreaux de faïence blanche, choisis pour leur luminosité. Depuis, certaines ont été décorées comme Louvre-Rivoli où ont été installées des copies de chefs-d'œuvre ou Arts et Métiers dont les murs évoquent l'intérieur d'un sous-marin dans un roman de Jules Verne. D'autres stations sont ornées de fresques ou ont conservé leurs carreaux comme ici à Saint-Germain-des-Prés, où sont projetés des extraits de poèmes.

LE SAIS-TU ?

Entre Strasbourg-Saint-Denis et République, la station Saint-Martin a été aménagée en lieu d'accueil pour les sans-abri. Elle offre une centaine de lits, répartis sur les deux quais.

DES STATIONS PAR CENTAINES

Le réseau parisien compte plus de 300 stations dont certaines sont désaffectées comme Croix-Rouge et Arsenal ou n'ont jamais été utilisées comme Porte Molitor ! La plus monumentale est la gare Châtelet-les Halles, placée au cœur d'un immense réseau de trois lignes du RER et cinq lignes de métro. Elle est la plus grande gare souterraine du monde, en nombre de trains et de déplacements avec 750 000 voyageurs par jour.

Localisation sur un plan

Tous les monuments évoqués dans le livre sont situés sur ce plan de Paris. Les plus connus sont identifiés par une photo et tous ont un numéro qui renvoie à la liste ci-dessous. Pour chacun d'eux, la page du livre où ils sont traités est indiquée. Bonne promenade à travers Paris à la découverte de ses grands monuments !

Les monuments de Paris

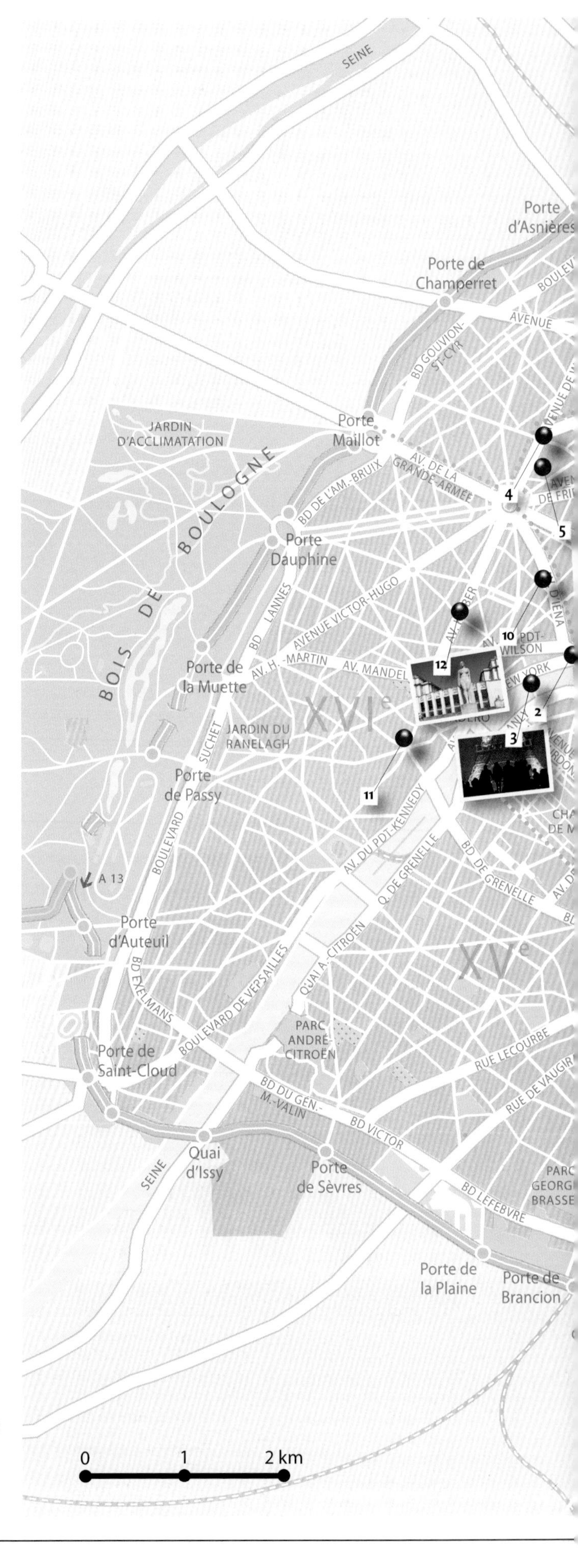

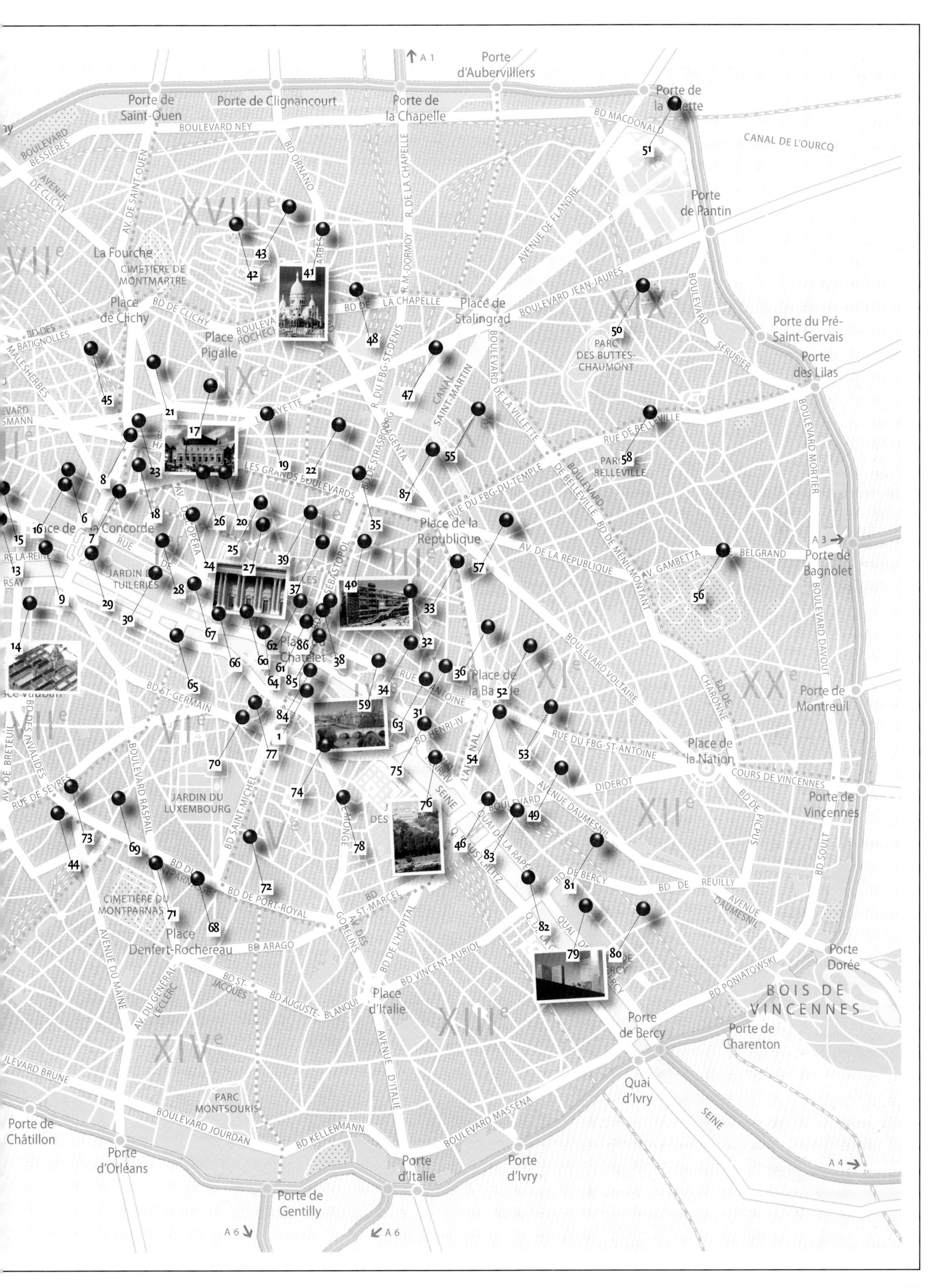
A 1
Porte d'Aubervilliers
Porte de Saint-Ouen
Porte de Clignancourt
Porte de la Chapelle
Porte de la Villette
BOULEVARD NEY
BD MACDONALD
CANAL DE L'OURCQ
BOULEVARD BESSIÈRES
AVENUE DE CLICHY
AV. DE SAINT-OUEN
BD ORNANO
R. DE LA CHAPELLE
R. M.-DORMOY
Porte de Pantin
XVIIIe
La Fourche
CIMETIÈRE DE MONTMARTRE
Place de Clichy
BD DE CLICHY
BD DES BATIGNOLLES
MALESHERBES
Place Pigalle
BD DE LA CHAPELLE
Place de Stalingrad
AVENUE DE FLANDRE
BOULEVARD JEAN-JAURÈS
XIXe
PARC DES BUTTES-CHAUMONT
BOULEVARD SÉRURIER
Porte du Pré-Saint-Gervais
Porte des Lilas
IXe
R. DU FBG-ST-DENIS
BD DE MAGENTA
CANAL SAINT-MARTIN
BOULEVARD DE LA VILLETTE
RUE DE BELLEVILLE
PARC DE BELLEVILLE
BOULEVARD MORTIER
LES GRANDS BOULEVARDS
BD DE STRASBOURG
RUE DU FBG-DU-TEMPLE
BOULEVARD DE BELLEVILLE
BD DE MÉNILMONTANT
Place de la Concorde
Place de la République
AV. DE LA RÉPUBLIQUE
AV. GAMBETTA
BELGRAND
A 3
Porte de Bagnolet
AV. DE L'OPÉRA
JARDIN DES TUILERIES
BD SÉBASTOPOL
IIIe
BOULEVARD DAVOUT
Place du Châtelet
RUE ST-ANTOINE
Place de la Bastille
XIe
BOULEVARD VOLTAIRE
BD DE CHARONNE
XXe
Porte de Montreuil
BD ST-GERMAIN
VIe
VIIe
BD DES INVALIDES
AV. DE BRETEUIL
BD HENRI-IV
BD DE L'ARSENAL
RUE DU FBG-ST-ANTOINE
Place de la Nation
COURS DE VINCENNES
RUE DE SÈVRES
BOULEVARD RASPAIL
JARDIN DU LUXEMBOURG
BD SAINT-MICHEL
V^e
R. MONGE
SEINE
DIDEROT
AVENUE DAUMESNIL
XIIe
BD DE PICPUS
Porte de Vincennes
BOULEVARD SOULT
QUAI DE LA RAPÉE
BD DE BERCY
BD DE REUILLY
BD DU MONTPARNASSE
BD DE PORT-ROYAL
CIMETIÈRE DU MONTPARNASSE
Place Denfert-Rochereau
BD ARAGO
BD ST-MARCEL
AV. DES GOBELINS
BD DE L'HÔPITAL
BD VINCENT-AURIOL
Porte Dorée
AVENUE DU MAINE
AV. DU GÉNÉRAL LECLERC
BD ST-JACQUES
BD AUGUSTE-BLANQUI
Place d'Italie
XIIIe
BD PONIATOWSKI
BOIS DE VINCENNES
Porte de Charenton
Porte de Bercy
XIVe
BOULEVARD BRUNE
AVENUE D'ITALIE
Quai d'Ivry
PARC MONTSOURIS
BOULEVARD JOURDAN
BD KELLERMANN
BOULEVARD MASSÉNA
SEINE
Porte de Châtillon
Porte d'Orléans
Porte d'Italie
Porte d'Ivry
A 4
Porte de Gentilly
A 6
A 6

Des lieux à visiter

Voici les coordonnées des principaux monuments de Paris à visiter. Leur site Internet respectif est accessible via le mot clé imprimé dans chaque double page du livre.

ARC DE TRIOMPHE
Place Charles-de-Gaulle
75008 Paris
Tél. 01 55 37 73 77
Station : Charles-de-Gaulle-Etoile

ÉGLISE SAINT-LOUIS-DES-INVALIDES
Esplanade des Invalides
129, rue de Grenelle
75007 Paris
Tél. 01 44 42 37 65
Station : Invalides

FONDATION CARTIER POUR L'ART CONTEMPORAIN
261, boulevard Raspail
75014 Paris
Tél. 01 42 18 56 50
Station : Raspail

GRAND PALAIS
3, avenue du Général-Eisenhower
75008 Paris
Tél. 01 44 13 17 17
Stations : Franklin-D.-Roosevelt, Champs-Elysées-Clemenceau

HÔTEL DES INVALIDES
Esplanade des Invalides
75007 Paris
Tél. 01 44 42 38 77
Station : Invalides

HÔTEL DE SULLY
Centre des monuments nationaux
62, rue Saint-Antoine
75004 Paris
Tél. 01 44 61 20 00
Stations : Saint-Paul ou Bastille

HÔTEL DE VILLE
Mairie du IVe arrondissement
Place de l'Hôtel-de-Ville
75004 Paris
Tél. 01 42 74 73 03
Station : Hôtel-de-Ville

INSTITUT DE FRANCE
23, quai Conti
75006 Paris
Tél. 01 44 41 44 41
Stations : Pont-Neuf, Louvre-Rivoli, Odéon ou Saint-Germain-des-Prés

INSTITUT DU MONDE ARABE
1, rue des Fossés-Saint-Bernard
75005 Paris
Tél. 01 40 51 38 38
Station : Jussieu

MAISON DE BALZAC
47, rue Raynouard
75016 Paris
Tél. 01 55 74 41 80
Station : Passy

MAISON DE VICTOR HUGO
Hôtel de Rohan-Guéméné
6, place des Vosges
75004 Paris
Tél. 01 42 72 10 16
Station : Bastille, Saint-Paul

MOSQUÉE DE PARIS
1, place du Puits-de-l'Ermite
75001 Paris
Tél. 01 45 35 97 33
Station : Censier-Daubenton

MUSÉE D'ART MODERNE CENTRE GEORGES-POMPIDOU
Place Beaubourg
75004 Paris
Tél. 01 44 78 12 33
Station : Rambuteau

MUSÉE D'ART MODERNE DE LA VILLE DE PARIS PALAIS DE TOKYO
11, avenue du Président-Wilson
75016 Paris
Tél. 01 53 67 40 00
Station : Trocadéro

MUSÉE DES ARTS ET MÉTIERS ABBAYE SAINT-MARTIN-DES-CHAMPS
60, rue Réaumur
75003 Paris
Tél. 01 53 01 82 00
Station : Arts-et-Métiers

MUSÉE GUIMET
6, place d'Iéna
75016 Paris
Tél. 01 56 52 53 00
Stations : Iéna, Trocadéro

MUSÉE DE L'HOMME PALAIS DE CHAILLOT
17, place du Trocadéro
75016 Paris
Tél. 01 44 05 72 72
Station : Trocadéro

MUSÉE DES INVALIDES HÔTEL NATIONAL DES INVALIDES
129, rue de Grenelle
75007 Paris
Tél. 01 44 42 37 65
Station : Invalides

MUSÉE DU LOUVRE
Cour Napoléon
75001 Paris
Tél. 01 40 20 50 50
Stations : Palais-Royal, Musée du Louvre

MUSÉE NATIONAL DU MOYEN ÂGE
6, place Paul-Painlevé
75005 Paris
Tél. 01 53 73 78 00
Station : Cluny-La Sorbonne

MUSÉE D'ORSAY
1, rue de Bellechasse
75007 Paris
Tél. 01 40 49 48 14
Station : Orsay

MUSÉE DU PETIT PALAIS
Avenue Winston Churchill
75008 Paris
Tél. 01 53 43 40 00
Station : Champs-Elysées-Clemenceau

MUSÉE DU QUAI BRANLY
222, rue de l'Université
75007 Paris
Tél. 01 56 61 70 00
Station : Pont-de-l'Alma

NOTRE-DAME-DE-PARIS
6, place du Parvis-de-Notre-Dame
75004 Paris
Tél. 01 42 34 56 10
Stations : Cité, Saint-Michel

OBSERVATOIRE DE PARIS
61, avenue de l'Observatoire
75014 Paris
Tél. 01 40 51 22 21
Station : Port-Royal

OPÉRA GARNIER PALAIS GARNIER
Place de l'Opéra
75009 Paris
Tél. 01 40 01 17 89
Station : Opéra

OPÉRA-BASTILLE
Place de la Bastille
75012 Paris
Tél. 08 25 05 44 05
Station : Bastille

PALAIS DE LA DÉCOUVERTE
Avenue Franklin-D.-Roosevelt
75008 Paris
Tél. 01 56 43 20 20
Station : Franklin-D.-Roosevelt

PALAIS DE TOKYO
13, avenue du Président-Wilson
75116 Paris
Tél. 01 47 23 54 01
Station : Trocadéro

PANTHÉON
Place du Panthéon
75005 Paris
Tél. 01 44 32 18 00
Station : Luxembourg

REX
1, boulevard Poissonnière
75002 Paris
Tél. 08 92 68 05 96
Station : Bonne-Nouvelle

SÉNAT
Palais du Luxembourg
15, rue de Vaugirard
75006 Paris
Tél. 01 42 34 20 00
Stations : Luxembourg, Saint-Sulpice

TOUR EIFFEL
Champ-de-Mars
75007 Paris
Tél. 01 44 11 23 23
Stations : Bir-Hakeim et Ecole-Militaire

TOUR MONTPARNASSE
33, avenue du Maine
75015 Paris
Tél. 01 45 38 91 51
Métro : Montparnasse

Les monuments de Paris disparus

LES PAVILLONS BALTARD
Après un essai de pavillon en pierre, Baltard réalise sur l'insistance d'Haussmann douze pavillons entièrement en fer. Construits entre 1850 et 1870, ils formaient les Halles de Paris.

L'ÉLÉPHANT DE LA BASTILLE
Au début du XIXe siècle, Napoléon souhaitait faire élever un immense éléphant en bronze sur la place de la Bastille. Seul un colossal modèle en plâtre du pachyderme sera réalisé en 1813 et démonté en juillet 1846.

LA PRISON DE LA BASTILLE
Destinée à défendre l'est de Paris devenu plus vulnérable, la Bastille est bâtie sous le règne de Charles V, de 1370 à 1383. Utilisée occasionnellement comme prison sous Louis XI, elle est transformée en prison d'État par le cardinal de Richelieu.

LE PALAIS DE L'INDUSTRIE DE 1855
Cet immense monument était dominé par une triple nef métallique d'une portée de quarante-huit mètres. Il accueillait les expositions du Salon jusqu'à sa destruction, pour faire place au Grand et au Petit Palais de l'Exposition de 1900.

L'éléphant de la Bastille

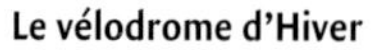

Le vélodrome d'Hiver

LA SALLE DU MANÈGE
Académie équestre construite au XVIIIe siècle pour les jeunes nobles, elle est aménagée pour l'Assemblée nationale entre 1789 et 1793. Cette grande salle où fut instituée la République le 21 septembre 1792 a été démolie en 1802 pour le percement de la rue de Rivoli.

LA TOUR DE NESLE
Tour de l'ancienne enceinte de Philippe Auguste, elle est construite au début du XIIIe siècle en face du Louvre à l'emplacement de l'actuelle bibliothèque Mazarine dans l'Institut. On raconte que c'est dans cette tour que les trois belles-filles du roi Philippe le Bel rencontraient leurs amants.

ABBAYE DE SAINT-VICTOR
Fondée au début du XIIe siècle par Louis VI le Gros, cette prestigieuse abbaye était située sur les bords de la Seine, sur le site occupé aujourd'hui en partie par l'université de Jussieu. Protégée par les rois de France et par les papes, elle fut l'un des principaux foyers intellectuels de la chrétienté médiévale et accueillait un grand nombre d'étudiants, venus de toute l'Europe. Renommée pour sa riche bibliothèque, l'abbaye Saint-Victor a été détruite entre 1811 et 1813.

LE PALAIS DU TROCADÉRO
Edifié à l'occasion de l'Exposition universelle de 1878, ce monument abritait la plus grande salle des fêtes jamais construite à Paris. Son nom, que le site conservera après sa destruction en 1937, est un hommage à la victoire du duc d'Angoulême en Andalousie en 1827 sur les insurgés libéraux espagnols. Le palais de Chaillot s'élève maintenant à cet endroit.

LE VÉLODROME D'HIVER
Erigé en 1909 pour accueillir des courses cyclistes, le vélodrome d'Hiver de Paris devient le temple du sport parisien avec des compétitions de boxe, de tennis, de basket-ball, de hockey et de patinage sur glace. En juillet 1942, les milliers de victimes juives de la rafle du Vél' d'Hiv organisée par la police française y sont détenues plusieurs jours avant leur déportation vers le camp d'extermination d'Auschwitz-Birkenau. Le vélodrome a été détruit en 1959.

La tour de Nesle

Les plus fameux architectes de Paris

FULGENCE BIENVENUE (1852- 1936)
En 1898, la Ville de Paris confie à cet ingénieur des Ponts et Chaussées la construction de son chemin de fer métropolitain. Sous sa conduite, la première ligne, Porte de Vincennes-Porte Maillot, est réalisée dès 1900 pour l'Exposition universelle. A la mort de celui que l'on surnomme le Père du métro, le réseau est quasiment achevé.

GUSTAVE EIFFEL (1832-1923)
Maître de l'architecture métallique de la fin du XIXe siècle, cet industriel ingénieux édifie un pylône quadrangulaire géant pour l'Exposition universelle de 1889. Construite pour être éphémère, sa tour est aujourd'hui le symbole de Paris.

CHARLES GIRAULT (1851-1933)
Premier prix de Rome en architecture en 1880, ferronnier et serrurier de formation, Charles Girault est l'architecte en chef du Grand Palais dont la construction est confiée à Deglane, Thomas et Louvet mais aussi le concepteur unique du Petit Palais. Il fut ensuite l'architecte favori du roi des Belges Léopold II, édifiant de nombreux monuments à Bruxelles.

CHARLES GARNIER (1825-1898)
Grand prix de Rome d'architecture en 1848, il devient célèbre avec le bâtiment flamboyant de l'Opéra de Paris élevé entre 1862 et 1874. Il est aussi l'auteur de la tombe de Georges Bizet au cimetière du Père-Lachaise et celle de Jacques Offenbach au cimetière de Montmartre.

Eugène Viollet-le-Duc

Charles Garnier

JULES HARDOUIN-MANSART (1646-1708)
A la suite de son oncle François Mansart, architecte du Val-de-Grâce, ce maître du classicisme français achève l'hôtel des Invalides. Il aménage aussi en 1686 la place des Victoires et en 1699 la place des Conquêtes (actuelle place Vendôme).

LOUIS LE VAU (1612-1670)
Il élève des hôtels sur l'île Saint-Louis dont l'hôtel Lambert, l'Institut de France et une partie du Louvre avant d'élaborer les grandes lignes du palais de Versailles.

JEAN NOUVEL (1945-)
Il conçoit les réalisations contemporaines les plus prestigieuses de la capitale avec l'Institut du monde arabe, la fondation Cartier et le Musée du quai Branly.

DOMINIQUE PERRAULT (1953-)
Féru de la transparence, cet architecte est révélé très jeune au public par son bâtiment de l'Ecole Supérieure d'ingénieurs en électronique et électrotechnique de Marne-la-Vallée. Sa plus grande réalisation parisienne est la Bibliothèque nationale de France (1989-1995), dernier des « grands travaux » initiés par le président de la République François Mitterrand.

Jean Nouvel

JACQUES-GERMAIN SOUFFLOT (1713-1780)
Après de longs séjours à Rome (1731-1738), cet architecte devient contrôleur des bâtiments du roi (1763) et s'occupe de l'embellissement de Lyon et de Paris. Son chef-d'œuvre est le Panthéon dont il suit les travaux de 1755 à sa mort.

MAURICE DE SULLY (V. 1120-1196)
En 1163, trois ans après avoir été élu évêque de Paris, Maurice de Sully entreprend les travaux de la cathédrale Notre-Dame. Il est encouragé par le roi Louis VII et par le pape Alexandre III qui vient poser la première pierre du monument.

EUGÈNE VIOLLET-LE-DUC (1814-1879)
Architecte très actif dans la restauration des monuments historiques sous le second Empire, il est controversé pour son interprétation parfois abusive de l'architecture médiévale. A Paris, il a mené la restauration de la Sainte-Chapelle puis de Notre-Dame de Paris. Au-delà de la controverse sur ses restaurations et reconstructions, il a su mettre en valeur le patrimoine médiéval de la France.

INDEX

ICONOGRAPHIE

h = haut, b = bas, m = milieu, c = centre, g = gauche, d = droit

1 Émile Luider/Gamma-Rapho; 2 Jean-Claude N'Diaye/La Collection hd, Franck Guiziou/hemis.fr m, Photo Josse/Leemage bg, Daniel Thierry/Photononstop bd; 3 René Mattes/hemis.fr; 4 Christian Rivière/Gallimard Loisirs hg, Robert Kluba/ Signatures hd, Musée d'Orsay/RMN mg, Roger-Viollet bg, Brian Lawrence/Gamma-Rapho bd; 5 Arnaud Chicurel/hemis.fr h; 6 Photo Josse/Leemage h; RMN g; Yann Guichaoua/Gamma-Rapho c; Martial Colomb/Getty Images b; 7 BNF, Paris h; 8 Musée Carnavalet/Roger-Viollet hg; RMN hd; Henri Roger/Roger-Viollet b; 9 Charles Platiau/Reuters h; Eric Emo/Parisienne de Photo/Roger-Viollet bg; Yann Arthus-Bertrand/Altitude bd; 10 Roger-Viollet h, Gräfenhain Günter/Sime/Photononstop b; 11 Bertrand Rierger/hemis.fr h, Rob Atkins/Getty Images d, Yann Guichaoua/Gamma-Rapho bd, Richard Nowitz/Getty Images; 12 Patrick Dantec/Musée de la Marine, Paris hg; Stéphane Piera/Maison de Balzac/Roger-Viollet c; Sylvain Sonnet/hemis.fr bg; 13 Keystone/Gamma-Rapho hg; Michel DenanceArtedia/Leemage c; Sylvain Sonnet/ hemis.fr b; 14 Christian Rivière/Gallimard Loisirs h; Roger-Viollet bg; 15 Jean-Marie Guillou/Gallimard Loisirs c; MDA / RMN b; 16 Musée d'Orsay/RMN h, Roge-Viollet g, Bertrand Rieger/hemis.fr; 17 Patrick Tourneboeuf/Tendance Floue h, René Mattes/hemis.fr; 18 Artedia/Leemage/ADAGP, Paris, 2011 cg , Musée d'Orsay/ RMN cd; 19 René Mattes/hemis.fr hg; Fototeca/Leemage b; René Mattes/hemis.fr d; 20 Xavier Richer h , Roger-Viollet c; Photo Josse/Leemage b; 21 René Mattes/hemis.fr hd , Jean-Claude N'Diaye/La Collection cg, Franck Guiziou/hemis.fr bd; 22 Musée Carnavalet/Roger-Viollet h; Maisons de Victor Hugo/Roger-Viollet c; Pierre Jahan/Roger-Viollet bg; Didier Gatepaille/ADAGP, Paris, 2011 bd; 23 Arnaud Chicurel/hemis.fr / ADAGP, Paris, 2011 h, Georges Fessy/Artedia/Leemage/ADAGP, Paris, 2011 m, Chris der Grosse/Photononstop b; 24 Luc Boegly/Artedia/Leemage h; Philippe Biard/Gallimard Loisirs b; 25 Jérome Brézillon/Tendance Floue h, RMN b; 26 Hervé Hughes/hemis.fr g, Bulloz/RMN c; 27 Jean-Claude N'Diaye/La Collection hg; J-C.&D. Pratt/Photononstop cd, Stéphane Couturier/ Artedia/Leemage b; 28 Emile Luider /Gamma-Rapho hd, Jean-Claude N'Diaye/La Collection bg, Sylvain Sonnet/hemis.fr/ Succession Picasso, Paris, 2011 bc; 29 CNAM hd, Albert Harlingue/Roger-Viollet hg, Jean-Claude N'Diaye/La Collection b; 30 Musée Carnavalet/Roger-Viollet c; 31 Robert Kluba/ Signatures hg; Robert Kluba/ Signatures hd; Simeone/Photononstop c, Jean-Bernard Carillet/Photononstop b; 32 Roger Perrin/Kharbine/Tapabor h, Jean Pottier/Kharbine/Tapabor c, Jean-Claude N'Diaye/La Collection b; 33 Xavier Richer hg; Xavier Richer/ADAGP, Paris, 2011 hd; Arnaud Chicurel/hemis.fr b; 34 Musée Paccard h, Francois Bibal/Gamma-Rapho b; 35 Albert Harlingue/Musée Carnavalet/Roger-Viollet hg, Xavier Richer hd, Musée Carnavalet/Roger-Viollet c, Jean-Luc Grzeskowiak/Gamma-Rapho b; 36 Gilles Rigoulet h, RMN c, Georges Fessy/Artedia/Leemage b; 37 AKG, Paris h; Yann Guichaoua/Gamma-Rapho bg, Bertrand Gardel/hemis.fr bd; 38 Sophie Chivet/Agence VU hg, Denis Darzacq/Agence VU b; 39 Hartmut Krinitz/hemis.fr h, Roger-Viollet c; Sophie Chivet/Agence VU b; 40 Yann Guichaoua/Gamma-Rapho cg, Markus Schilder/Gamma-Rapho cd, Brian Lawrence/Gamma-Rapho b; 41 Michel Renaudeau/Gamma-Rapho h, Bulloz/RMN c; 42 Keystone/Gamma-Rapho h, Bertrand Rieger/hemis.fr c, Pascal Deloche/Godong/Photononstop b; 43 Artedia/Leemage h, René Mattes/hemis.fr b; 44 , Jean-Claude N'Diaye/La Collection hg; Jean-François Peneau/ Gallimard Loisirs c, Frances-Wysocki/hemis.fr b; 45 Bertrand Rieger/hemis.fr h, René Mattes/hemis.fr b; 46 , Jean-Claude N'Diaye/La Collection h, Jean-Pierre Degas/hemis.fr c; Lois Lammerhuber/La Collection b; 47 Arnaud Chicurel/hemis.fr h, Jean-Philippe Charbonnier/Gammo-Rapho c, Jarry-Tripelon/Gamma-Rapho b; 48 Gilles Rigoulet/hemis.fr h, Musée Carnavalet/Roger-Viollet c; Jean-Claude N'Diaye/La Collection b; 49 Gallimard Loisirs h, René Mattes/hemis.fr b; 50 Xavier Richer/Phtononstop h, Albert Harlingue/Roger-Viollet c, Brozzi Stefano/Sime/Photononstop b; 51 Thierry Ardouin/Tendance Floue hg, Jean-Claude N'Diaye/La Collection bg, Daniel Thierry/Photononstop bd; 52 Dixmier/Kharbine Tapabor h; Albert Harlingue/Roger-Viollet c, Christian Heeb/hemis.fr/ADAGP, Paris, 2011 b; 53 Arnaud Chircurel/hemis.fr hg, Gilles Rigoulet/hemis.fr hd , Sylvain Sonnet/hemis.fr b; 54 Albert Harlingue/Roger-Viollet h; Patrick Tourneboeuf/Tendance Floue c, Herve Champollion/Gamma-Rapho/ADAGP, Paris, 2011 b; 55 Jarry-Tripelon/Gamma-Rapho h; Maurizio Bourgese/hemis.fr c, Jean-Claude N'Diaye/La Collection; 56 Rue des Archives h; Gilles Rolle/Réa c, Franck Guiziou/hemis.fr bg, Julie Guiches/Picturetank b; 57 Daniel Thierry/Photononstop h, Marta Nascimento/Réa c; 58/59: 3 Charles Platiau/Reuters; 12 Sylvain Sonnet/ hemis.fr; 14 Christian Rivière/Gallimard Loisirs; 17 René Mattes/hemis.fr; 27 Luc Boegly/Artedia/Leemage; 40 Arnaud Chicurel/hemis.fr; 41 Francois Bibal/Gamma-Rapho; 59 Lois Lammerhuber/La Collection; 76 Arnaud Chircurel/hemis.fr; 79 Herve Champollion/Gamma-Rapho/ADAGP, Paris, 2011; 62 RMN h, Maurice Branger/Roger-Viollet m, Bulloz/RMN; 63 Musée Carnavalet/Roger-Viollet, Alinari/Roger-Viollet bg, Graziano Arici/Leemage m. **Couverture:** 1er plat: Manuel Cohen/Getty Images; Dos: Zoran Karapancev/ Shutterstock, Dibrova/Shutterstock; 4e plat: Dibrova/Shutterstock hd, Dixmier/Kharbine-Tapabor hm, Brian Lawrence/Gamma-Rapho hd, Julian de Dios/Shutterstock mg.